D0708041

Johanna Schopenhauer · Der Schnee

DEUTSCHE BIBLIOTHEK DES OSTENS

Herausgegeben
von
Karl Konrad Polheim und Hans Rothe

Langen Müller

JOHANNA SCHOPENHAUER

Der Schnee

Eine Erzählung

Herausgegeben
von
Jens Stüben

Langen Müller

In Verbindung mit der Kommission zum Studium der deutschen
Geschichte und Kultur im Osten an der Universität Bonn

© 1996 by Langen Müller
in der F. A. Herbig Verlagsbuchhandlung GmbH, München
Alle Rechte vorbehalten
Umschlaggestaltung: Wolfgang Heinzel
unter Verwendung des Gemäldes „Landschaft im Charakter
des Montblanc" (1813)
von Karl Friedrich Schinkel
(Staatliche Museen Preußischer Kulturbesitz, Berlin)
Gesetzt aus 10/11,5 Punkt Garamond
Satz: Fotosatz Bernhard GmbH, Dießen
Druck: Jos. C. Huber KG, Dießen
Binden: R. Oldenbourg, München
Printed in Germany
ISBN 3-7844-2602-6

Der Schnee

Nie hat es wohl ein im Aeußern sich ungleicheres Paar gegeben, als der Graf von Strahlenfels und seine Gemahlin Cölestine. Strenger Ernst, an Mißmuth gränzende Melancholie, sprachen aus den zwar regelmäßigen aber umdüsterten Zügen des Ersteren. Man sah es ihm an, daß einst ein großer Schmerz vernichtend durch sein Leben gegangen seyn mußte; seine ganze Erscheinung trug unverkennbare Spuren früherer Leiden; und wer zum ersten Male ihm nahte, empfand jene an Ehrfurcht gränzende Scheu, welche uns stets ein vom Unglück schwer Getroffener einflößt, der verstummend durch die Welt geht, ohne weder ihr Mitleid noch ihre Hülfe in Anspruch nehmen zu wollen. Der Graf hatte das vierzigste Jahr kaum überschritten, aber seine langen vor der Zeit gebleichten Locken gaben ihm das Ansehen eines dem Greisenalter Nahenden; nur wenn im belebteren Gespräche sein dunkles Auge feurig aufblitzte, die schlanke gebeugte Gestalt sich höher emporrichtete, ein mildes Lächeln die scharf bezeichneten Lippen momentan umspielte, nur dann erst erkannte man in ihm den, noch in voller Kraft des reiferen Mannesalters Stehenden, und fühlte, ungeachtet seiner anscheinenden Schroffheit, sich unwiderstehlich zu ihm hingezogen.

Gräfin Cölestine, die Huld und Lieblichkeit selbst, war von Allem diesem gerade das Widerspiel. Obgleich sie bereits dem Sommer des Frauenlebens zu nahen begann, so blühte sie dennoch in jugendlicher Frische unerkünstelter Anmuth, als wäre der Frühling desselben ihr eben erst aufgegangen. Sie war wenigstens zehn bis zwölf Jahre jünger, als ihr früh gealterter Gemahl; doch wer, ohne sie zu kennen, an der Seite desselben sie erblickte, der mußte glauben, in dem ungleichen Paare Vater und Tochter zu sehen; so schroff erschien der Abstand zwischen den Beiden. Der glänzende Standpunkt, auf den das Glück die schöne Frau gestellt, gab ihr nicht allein den Herrscherstab der Mode in die Hände; die seltnen Gaben des Körpers wie des Geistes, mit denen die Natur sie überschwenglich reich ausgestattet hatte, machten auch aller Herzen ihr zu eigen. Auf jedem Schritte folgte ihr ungeheuchelte Bewunderung. Cölestine sah, daß sie gefiel, und sie freute sich dessen mit gutmüthiger Freude; aber die ungesuchte Natürlichkeit ihres Wesens, ihre anspruchlose Freundlichkeit, beschwichtigten nebenbei die Gemüther derer die sie wohl hätten beneiden können, und wirkten ihr bei ihnen Verzeihung ihrer Liebenswürdigkeit aus. Sie hing mit inniger Treue und unerheuchelter Liebe an ihrem Gemahl, ohne weder mit diesem ihr ganz natürlich scheinenden Gefühle prunken, noch es verbergen zu wollen. Dieses Betragen erwarb ihr die Hochachtung der Bessern, am Hofe wie in der Stadt, und so konnte es der schönen Frau gelingen, in einer anscheinend gefährlichen Lage vollkommen sorglos und sicher ihren heitern Gang durch das Leben zu gehen, ohne daß vor der Welt je der kleinste Makel an ihrem Rufe hätte haften mögen.

Daß die Gräfin Cölestine zuweilen recht gern in den leuchtenden Zirkeln der großen Welt herumflatterte, deren schönste Zierde sie war, bedarf wohl keiner besondern Erwähnung; auch war ihr Gemahl weit von dem Gedanken entfernt, sie und sich selbst dem geselligen Leben ganz entziehen zu wollen. Seine Stellung in der Residenz, in der er vor einigen Monaten als Gesandter einer großen auswärtigen Macht aufgetreten war, erlaubte dieses ohnehin nicht; aber er war dennoch des lauten zwecklosen Alltagtreibens von Herzen müde, das er lange Jahre hindurch bis zum Ueberdrusse hatte mitmachen müssen. Der bedeutende Posten, welchen er jetzt bekleidete, schien überdieß eine überlegte Auswahl seines näheren Umganges zu bedingen; und so hatte er bei seiner Ankunft in der Residenz seine junge Gemahlin mit leichter Mühe dahin vermocht, sich nur dann außer ihrem Hause in Gesellschaften zu zeigen, wenn ihr Rang dieses durchaus erforderlich machte. Die übrigen Abende brachte die Gräfin in ihrem Zimmer zu, in welchem gewöhnlich, ein von dem Grafen ein für allemal eingeladener Kreis geistreicher und liebenswürdiger Männer und Frauen, sich um sie versammelte. Graf Strahlenfels selbst erschien bald früher, bald später in der Gesellschaft, je nachdem seine Geschäfte ihm dieses erlaubten, doch pflegte er nie ganz aus ihr wegzubleiben. Oft nahm er heitern Antheil an der allgemeinen Unterhaltung, zuweilen aber saß er auch schweigend da, trüb' und in sich versenkt. Cölestine aber war immer die Seele des freundlichen Vereins, in welchem ohne Rücksicht auf Rang, Stand oder Geburt, jeder nur für das galt was er eigentlich war. Die Anzahl ihrer Gäste war indessen nur selten bedeutend; Manche, die Anfangs zu diesen gehört hatten, waren nach und nach von selbst weggeblieben, weil sie fühlen mochten, daß sie in diesen Zirkel nicht paßten; Mehrere stellten nur von Zeit zu Zeit, gleichsam aus Höflichkeit sich ein, doch ein kleiner Ausschuß der Gesellschaft pflegte an keinem der ihr geweihten Abende zu fehlen. Dieser versammelte sich auch eines Abends, wenn gleich später als gewöhnlich, nach dem ziemlich früh beendeten Schauspiel, denn ein neues Trauerspiel, von welchem schon Monate vorher viel gesprochen worden war, hatte alle Welt in das Theater gezogen. Nur Cölestine war daheim geblieben, um mit ihrem, sonst gewöhnlich mit Geschäften überhäuften

Gemahl, ein Paar seltne Freistunden in ungestörtem Beisammenseyn zu verleben. Ein solches allein bei einander Bleiben war Beiden etwas Seltnes, und sie pflegten sich dessen zu freuen, als wäre es ein Wiederfinden nach langer Trennung.

Die Hauptunterhaltung der Gesellschaft, drehte an diesem Abend sich anfangs nur um das neue Trauerspiel, die, welche es nicht gesehen, wünschten zu erfahren wie es damit abgelaufen sey, und die, welche im Theater gewesen waren, freuten sich davon Bericht abstatten zu können. Das Stück war gefallen, tief, tief gefallen, ohne Hoffnung sich jemals wieder erheben zu können, und jeder beeiferte sich auf seine Weise zu erklären, warum die Tragödie ein so klägliches Ende hatte nehmen müssen. Einige behaupteten, daß Niemand an dem wirklich rührenden Geschick des liebenden Paares in derselben hätte Antheil nehmen können, weil des Jammerns und Wehklagens darüber zu viel gewesen sey. Andere klagten die in der Exposition des Stückes herrschende Verworrenheit, als die Ursache von dem Falle desselben an, weil diese es dem größern Theil des Publikums schwer gemacht habe, zu begreifen, worüber denn eigentlich so gewaltig lamentirt werde. Alle aber kamen darin mit einander überein: die durch fünf Akte hindurch ausgesponnene Anlage von Ahnungen zu tadeln, die doch am Ende zu wenig oder gar nichts geführt habe. Das alte, viel besprochene und nie erschöpfte Thema von Ahnungen, und Allem was mit diesen im Zusammenhange steht, kam darüber abermals zur Sprache; wie gewöhnlich ward über die Möglichkeit und Unmöglichkeit solcher Erscheinungen, viel herüber und hinüber disputirt, das Geschick des unseligen Dichters und seiner noch unseligern Tragödie, wurde endlich ganz außer Acht gelassen, die Wogen des Gesprächs schlugen hoch über beide zusammen, beide wurden unter diesen begraben, und zuletzt dachte

Niemand weiter daran, daß sie es gewesen wären, deren tiefer Fall diese lebendige Bewegung eigentlich veranlaßt habe.

Eine der aufmerksamsten Zuhörerinnen bei dieser neuen Wendung des Gesprächs, war die kleine, dem Anscheine nach kaum zwölfjährige Lili; ein zartes seelenvolles Geschöpf, weiß wie eine Lilie, schlank wie eine junge Birke, mit langen glänzend schwarzen Flechten und großen braunen Augen, eine durchaus fremdartige Erscheinung, die gar nicht in die sie umgebende Welt zu gehören schien. Eine eigne Art blöder Scheu hemmte nicht nur die körperliche Gewandtheit dieser, dem Ansehen nach federleichten Gestalt, sie schien auch eine lähmende Gewalt über das Sprachvermögen der armen Lili zu üben. Selten gelang es ihr, den rechten Ausdruck für das was sie sagen wollte zu finden, es war, als verstehe sie nicht mit der Sprache umzugehen, und sie verletzte mit ihren Worten oft die, welche ihr lieb waren und sogar sich selbst, wie mit fremdartigen Waffen, deren Gebrauch sie nicht kannte. Doch in dem Reiche der Töne war sie zu Hause, dieses war ihre Welt, in die sie bei jedem innern Schmerze, bei jedem Drange des äußern Lebens sich instinktartig flüchtete, wie ein Kind zu dem Herzen der Mutter. Gespielinnen hatte Lili nicht, obgleich alle Kinder ihres Alters die sie kannten, ihr Liebe entgegen trugen; das einzige Wesen, dem sie mit vollem Vertrauen sich nahen mochte, war ihr Pflegevater, ein alter Maler, eine in ihrer Art beinahe eben so seltsame Erscheinung, als sie selbst.

Meister Hubert, so hörte er am liebsten nach italienischer Sitte bei seinem Taufnamen sich nennen, Meister Hubert, von Geburt ein Deutscher, war eine lange Reihe von Jahren hindurch in Italien einheimisch gewesen, bis die immer mehr überhand nehmenden Unruhen ihn aus jenem Lande vertrieben, das Keiner jemals vergessen kann, der es einmal sah. Er hatte dort viel Bedeutendes geschaffen; doch jetzt war er alt, sein Auge dunkel geworden, die zitternde Hand versagte ihm den gewohnten Dienst; sein Geist aber wirkte fort in ungestörter Klarheit und reger Lebendigkeit. Seine früheren, von Kennern hoch gehaltenen Arbeiten, hatten dem Genügsamen zu einer unabhängigen sorgenfreien Existenz verholfen, und seine einzige Freude wie seine einzige Beschäftigung, war jetzt der völlig zwangfreie Unterricht einiger junger Schülerinnen, mit denen er täglich verkehrte, und die dafür mit ächt kindlicher Liebe an ihm hingen. Sie begleiteten ihn auf seinen Spaziergängen, und auch in die Abendzirkel des Grafen Strahlenfels, bei denen er, ein gern gesehener Gast, selten fehlte. Graf Strahlenfels nannte die lieben Mädchen des Künstlers Genien, sie wichen selten von des Alten Seite, und ihre Fragen rissen den Vielerfahrenen oft zu Erzählungen aus seinem frühern, mannichfaltig bewegten Leben hin, an welchen die ganze Gesellschaft sich erfreute. Seine zuweilen sehr seltsam gefügten Worte übten oft eine erschütternde Kraft an seinen Zuhörern aus, und Alle betrachteten mit Liebe und Ehrfurcht den schönen Kopf des Greises, wenn er, neu belebt von der Erinnerung besserer Tage, im Kreise der blühenden Mädchengesichter saß, die still horchend zu ihm emporschauten.

Auch dieses Mal hatte Meister Hubert nicht verfehlt, sich wie gewöhnlich mit seinen Genien einzustellen, an dem allgemeinen Gespräche aber wenig Antheil genommen, so lange nur von dem verunglückten Trauerspiel die Rede gewesen war; doch er ward aufmerksamer, als man begann über das Ahnungsvermögen des menschlichen Geistes lebhaft zu streiten, und mischte sich endlich in das Gespräch.

„Ahnungen, wie alle Erscheinungen, die uns auf der Erde noch Wandelnde mit der Geisterwelt verbinden, sind nur für den wirklich da, der an sie glaubt," sprach er sehr ernst. „Wer dieses nicht thut, dem ist der Sinn dafür versagt; deshalb kann er nie davon etwas gewahr werden; und darum sollen wir auch nie anders als mit großer Umsicht im Gespräche solche Punkte berühren. Es gibt Menschen, und ich selbst habe solche gekannt, deren seltsam geformtes Auge nicht im Stande ist eine Farbe von der andern zu unterscheiden, obgleich sie die Form der Gegenstände eben so deutlich und richtig sehen, als wir Andern. Es wäre doch ein sehr zweckloses Unternehmen, diesen Leuten den Unterschied zwischen roth und grün begreiflich machen zu wollen."

„Aber das Auge jener Leute ist krank, wenigstens fehlerhaft in seinem innern Baue. Wen meinen Sie, Freund Hubert! der hier im Bezug auf das Geisterwesen der Kranke sey, der, welcher dessen Einfluß gewahr zu werden glaubt? oder der, welcher von der Existenz desselben sich nicht zu überzeugen vermag?" fragte der Graf Strahlenfels.

„Mein Gleichniß hinkt wie alle," erwiderte lächelnd der Maler. „Eigentlich, lieber Herr Graf, wollte ich aber nichts weiter damit sagen, als daß zwar in diesem, wie in noch ernsteren wichtigeren Fällen, Jeder seiner eignen Ueberzeugung leben, aber auch die Derer, welche von seinem Glauben abweichen, unangefochten lassen soll."

„Meister, glaubst du an Ahnungen und Gespenster?" fragte plötzlich Lili. Die Umstehenden erwarteten, sichtbar gespannt, des Malers Antwort auf diese Frage.

„Wer kann hier sagen: ich glaube! wer, ich glaube nicht!" erwiderte ausweichend der Maler. „Läuft doch zuweilen in dunkeln unbewachten Stunden, dem ungläubigsten Bekämpfer der Geisterwelt ein eiskalter Schauer über den Rücken hin, und bannt im Finstern ihn fest, mit starrem Blick und ängstlich lauschendem Ohr."

Lili verstand nicht was er meinte. „Du glaubst also nicht an Gespenster?" fragte sie noch einmal.

„Kind, lassen wir die Gespenster aus dem Spiel," erwiederte Meister Hubert, „das ist ein fratzenhaftes, unheimliches Wort, das ich weder aussprechen, noch hören mag. Hier war jetzt von Ahnungen die Rede, und da hat eine sehr traurige Begebenheit, in die ich selbst nur zu sehr mit verflochten war, mich leider zu der Ueberzeugung gebracht, daß wenigstens einige Menschen mit einem ganz eignen Vorgefühle geboren werden, welches wie ein dunkler Faden durch das helle Gewebe ihres Lebens sich zieht, bis an das Ende. Eine innere Gewalt treibt einem bestimmten Gegenstande sie zu, und obgleich ihnen oft heimlich davor graut, müssen sie diesen mit leidenschaftlicher Hast dennoch aufsuchen; bis endlich Zufall oder Schickung, der Lösung des Räthsels ihres Lebens, und oft auch zugleich dem eignen Untergange, sie entgegen führt."

„Das ist ganz natürlich, lieber Herr Hubert," sprach ein alter kernfester General, „mit solchen Grillen im Kopfe läuft man dem Schicksale so lange nach, bis es am Ende uns richtig trifft."

„Ein solches, auf keine andre Art zu motivirendes Nachlaufen, wäre aber vielleicht gerade der sicherste Beweis für jenen unwiderstehlichen Drang, dessen der Meister erwähnte; und verdiente vielleicht am ersten, Ahnung genannt zu werden," wandte Graf Strahlenfels ein.

Die Genien des Malers und Lili hatten indessen, eifrig mit einander flüsternd, unter sich Rath gehalten, und bestürmten jetzt einstimmig den Maler mit Bitten um die Mittheilung der eben erwähnten Begebenheit; denn ihre größte Freude bei diesen Abendgesellschaften war, ihn erzählen zu hören. Lili sprach kein Wort; aber sie ergriff seine Hände und sah, die großen glänzenden Augen fest auf ihn gerichtet, bittend zu ihm auf. Der größte Theil der Anwesenden pflichtete laut dem Wunsche der Kinder bei, den Viele schon im Stillen gehegt hatten, ohne ihn aussprechen zu mögen; denn der mitunter etwas wunderliche Alte, welchen Alle liebten, war zuweilen sehr leicht zu verletzen.

Meister Hubert schwieg eine Weile und schüttelte nur mit einem ganz eignen Lächeln das eisgraue Haupt. Erst als Cölestine ihre Bitten mit denen der Kinder vereinigte, gab er nach, und ließ ohne weiteres Widerstreben an seinem gewohnten Platze sich nieder. Die ganze Gesellschaft schloß um ihn einen Kreis, die Kinder setzten sich auf die Seitenlehnen seines Sessels, oder sahen sonst zu, wie sie in seiner nächsten Nähe ein Plätzchen finden mochten; Lili knieete auf einem Fußkissen, beide Arme auf die Kniee des geliebten Meisters gelehnt, und sah erwartend zu ihm auf.

„Ich werde erzählen," hob der Maler beinahe feierlich an und schwieg dann wieder. „Es ist seltsam," sprach er nach einer kleinen Pause, „es ist seltsam, daß ich in diesem Augenblicke in meinem Gemüthe mich unwiderstehlich angeregt fühle, das Ereigniß, von dem ich sprechen will, hier mitzutheilen, und sich doch auch in meinem Innern eine andre Stimme, eine geheime Furcht dagegen erhebt, als dürfe ich jener Begebenheit nirgend, und hier gerade am wenigsten erwähnen. Noch auffallender scheint es mir, daß sie vom ersten Tage, an welchem ich diese gastfreie Schwelle überschritt, mir unablässig in furchtbarer Klarheit vor Augen schwebt. Ich kann ohnehin sie nimmer vergessen, aber gerade hier, in diesen Räumen, muß ich unwillkührlich immer und lebhafter als sonst, überall ihrer gedenken, obschon ich nichts sehe was mit ihr im kleinsten Zusammenhange stehen könnte. Ein unerklärliches Gefühl, das ich vielleicht wirklich Ahnung nennen sollte, preßt in diesem Augenblicke die Brust mir zusammen, es will die Sprache mir hemmen, mir ist als stände ich im Begriffe, Unheil zu stiften, mir werthe Personen zu verletzen, ich verstehe mich selbst nicht, und möchte reden und schweigen zugleich."

Niemand von den Anwesenden regte sich, sie fühlten sich beschlichen von jenem heimlichen Grauen, das bei solchen Gelegenheiten so leicht und lieblich sich einzustellen pflegt. Lili, noch bleicher als sonst, sah noch immer voll sehnsüchtiger Erwartung zu dem Maler mit unverwendetem Blicke auf.

„Du vor Allen solltest heute deine stummen und doch so beredten Augenworte sparen; was ich zu erzählen habe, wird diese klaren Sterne trüben und überhaupt Keinen von uns erheitern, mein Liebchen!" sprach der Alte, indem er mit liebkosender Hand dem Kinde leicht über Stirn und Auge fuhr. „Der gemüthlichste Vortrag," setzte er, zu der Gesellschaft gewendet, hinzu, „der gemüthlichste Vortrag wird nicht vermögen, den bösen Schlagschatten zu vertreiben, der jene Begebenheit umdunkelt, und daß ich dieses fühle, ist wahrscheinlich der Grund, warum ich jetzt so ungern daran gehe, sie mitzutheilen; darum bitte ich ernstlich, erlassen Sie mir lieber mein Versprechen. Es ist ja in jedem Falle das Klügste, eine Unterhaltung bei Zeiten abzubrechen, die für Niemanden etwas Erfreuliches bringen kann."

„Zu spät, viel zu spät wollen Sie mit ihrem Schlagschatten uns jetzt bange machen," sprach freundlich lächelnd die Gräfin Cölestine; „wir fürchten uns vor keinem, sey er noch so dunkel gehalten. Das Licht ist dann um so heller, das, lieber Meister, haben wir ja längst von Ihnen selbst gelernt; darum fangen Sie nur getrost an zu erzählen, Sie müssen es schon um Ihrer selbst willen, Sie hätten ja sonst die ganze Nacht über an jene Begebenheit zu denken, die Sie jetzt unterdrücken wollen. Denn wenn das Wort einmal bis an den Rand der Lippen gestiegen ist, ohne weiter zu dürfen: so drängt es sich zum Herzen zurück und richtet dort lauter Unfug an."

Mit freundlich überredender Geberde reichte die schöne Frau bei diesen Worten dem Alten die Hand, die er mit

jugendlichem Feuer an seine Lippen drückte; seine umdüsterten Züge klärten sich auf, und ohne weiteres Zögern, mit
immer steigender Lebendigkeit, begann er die von ihm verlangte Erzählung.

„Daß ich schon vor länger als zwanzig Jahren in Italien
lebte, ist Ihnen Allen bekannt," sprach der alte Maler. „Ich
hielt abwechselnd, bald in Rom, bald in Florenz mich auf, je
nachdem die Jahreszeit, oder auch meine Arbeiten dieses
nöthig machten, deren mir damals mehrere und bedeutende
aufgetragen waren. In jenen Tagen, unter jenem glücklichen,
ewig blauen Himmel, liebte ich noch unsre Erde, und
schmückte sie gern wie ein Kind seine Mutter mit ihren
eignen Gaben; freudiger bescheint die Sonne jenes Land, sie
selbst wird Maler und ordnet stündlich durch den Zauber
ihrer Beleuchtung neue Bilder an. Dort, wo der Mensch
klarer empfindet, daß er der begünstigte Sohn der Natur und
kein armer durch tausend Bedürfnisse gequälter Erdenwurm
sey, dort fehlte mir nichts, ich hatte Alles, und fand zuletzt
noch die Krone des Daseyns, einen Freund!

Ich selbst stand damals noch in der vollen Kraft des
rüstigen Mannes, mein Freund aber war sehr viele Jahre
jünger als ich. Ich liebte ihn deßhalb nur um so inniger, denn
in ihm sah ich das bis ins Tausendfache verschönte Bild
meiner eignen Jugend, mir neu erblühen. Geist, Talent,
Gemüth, alle ihre herrlichsten Gaben, womit die Natur im
Einzelnen ihre Lieblinge schmückt, hatte sie vereint diesem
Jünglinge verliehen, und dazu die göttergleiche Gestalt.
Künstler, denen wir begegneten, standen still und sahen
staunend meinem Freunde nach; wenn wir Abends durch die
abgelegenen Gassen in Rom wandelten, brachen Weiber und
Mädchen, hingerissen von ihrer südlichen Lebendigkeit, in
Bewunderung seiner Schönheit aus, und segneten überlaut
ihn und die Mutter, die ihn geboren. Auch mir, der ich doch

15

täglich ihn sah, war oft, als sey eines jener Marmorgebilde uralter Kunst plötzlich in das Leben gerufen und schreite auf mich zu; alle Mühen, jede Noth und Sorge der Erde vergaß ich über seinen Anblick, aus jeder seiner Bewegungen leuchtete ein Strahl unversiegbaren Lebens, aus seinen Augen, aus jedem Zuge des schönen Gesichts; da war Alles neu und frisch, als setze der junge Gott den schäumenden Rosenbecher der Freude, zum ersten Mal an die blühenden Lippen. Man konnte es sich gar nicht denken, daß er früher ein Kind gewesen seyn, oder daß er einst altern könne; er war ein geborner Jüngling, als habe so wie er da stand, ein mächtiges: Werde! ihn in die Welt gerufen und als müsse er nun ewig so bleiben, gleich jenem Apollo, der in unverwüstlicher Jugendpracht noch nach Jahrtausenden die Welt entzückt.

Er liebte auch mich unbeschreiblich, innig, mit aller Kraft seines unverfälschten Gemüths. Gern arbeitete er unter meiner Leitung, und am Ende hätte ich wohl noch von ihm lernen können, so sicher und kräftig wußte seine Hand den Pinsel zu führen, so schön und scharf sein Auge die sichtbare Welt aufzufassen. Ach, daß dieses Alles ihr und mir verloren gehen mußte!" rief der Alte jetzt schmerzlich verstummend, und verhüllte sein Gesicht mit beiden vorgehaltenen Händen.

Tiefe Stille herrschte im Zimmer; endlich nahm Cölestine das Wort, um den zu lebhaft angeregten Greis zu beschwichtigen. „Wie wohlthuend ist das edle Bild Ihres schönen Freundes, lieber Meister; klar, fast sichtbar mir vor Augen gestellt, erblicke ich in Ihrer Beschreibung das Ideal der frischesten Jugendblüthe; mir ist sogar, als wäre jene hohe Erscheinung mir nicht immer fremd gewesen, und Ihre Worte hallen in meinem Gemüthe nach, wie leises Erinnern an eine halb vergeßne Lieblingsmelodie. Wie hieß Ihr Freund?"

„Viktor!" rief der Maler, sich hoch emporrichtend, „Viktor, nur so konnte er heißen, denn er trat in der Welt wie ein Sieger auf. Er hatte noch einen andern Namen, glaube ich, aber wir nannten ihn immer bei diesem; von Geburt war er ein Deutscher, aus reichem, vornehmen Geschlecht, aber mit seinem Vater, einem eifrigen Kunstfreunde, schon in früher Jugend nach Rom gezogen, erinnerte er sich seines Geburtslandes nur dunkel; sein eigentliches Vaterland war und blieb das schöne Italien. In Rom traf ich zum ersten Male mit ihm zusammen, ein Kennenlernen war das nicht zu nennen, es glich mehr einem Wiederfinden dessen, was wir Beide, in der Kunst wie im Leben, lange und schmerzlich gesucht hatten. Weder er, noch ich konnten uns sogar späterhin deutlich erinnern, wann und unter welchen Umständen wir uns zum erstenmal gesehen hätten, uns war, als wären wir von jeher beisammen gewesen.

Von einem der Kunst mit Leidenschaft ergebenen Vater erzogen, war mein Viktor auf klassischem Boden, mitten unter den herrlichsten Ueberbleibseln antiker Kunst aufgewachsen. Seine Verhältnisse beengten ihn von keiner Seite, und frei von allen Nebenabsichten, wie nur Wenige es seyn können, war er entschlossen, alle seine Kraft, dem Streben nach der höchsten Meisterschaft in der bildenden Kunst zuzuwenden. Ich war ersehen, ihm dabei mit Rath beizustehen, obgleich mein eigentliches Kunstfach nicht das Seinige war. Er hatte besonders der Landschaftsmalerei sich zugewendet, und sein unglaublich schnelles Fortschreiten setzte nicht nur mich, seinen Freund, sondern auch die damals größten Meister zu Rom in Erstaunen. Sie liebten Alle den schönen wunderbaren Jüngling, der bei so vielen innern und äußern Vorzügen stets bescheiden und nachgiebig blieb. Sie halfen ihm gern, wo nur die Gelegenheit dazu sich bot, und lobten mit ungeheuchelter Freude seine Versuche auf der Bahn der Kunst; doch ihm selbst wollte keiner derselben genügen. Ganz andre Bilder, eine ganz andre Welt, als die, welche ihn in der Wirklichkeit umgab, schwebten seinem innern Auge vor; Zauberhöhlen von blitzenden Krystallen, über welche schwarzblau, übersäet mit diamantenen Sternbildern, der reinste Aether sich wölbt; oder in glänzendem Reife starrende Wälder, brennend in der scheinbaren Gluth der kalten Flamme des Nordlichts. Die gespensterartigen Erscheinungen des hohen Nordens, die er jedoch nur von Hörensagen kannte, erfüllten seine Phantasie mit gigantischen formlosen Traumgebilden, welche ihn sogar zuweilen zur Ungerechtigkeit gegen die hold blühende Welt verleiteten, die, wie mit Liebesarmen ihn umfing. Je länger, je inniger sehnte Viktor dem ihm völlig fremden Norden sich zu; so wie mancher Nordländer den ihm eben so unbekannten Süden zum Ziele seiner Wünsche sich wählt. Dennoch schauderte ihm zugleich innerlich, vor dem Anblicke der in Todesfrost erstarrten Natur, vor dem düstern Schrecken einer nordischen endlosen Winternacht, die er beide unendlich furchtbar sich dachte. Und so konnte er denn nie zu dem Entschlusse gelangen, sich auf den Weg zu machen, und dadurch, daß er jene Gegenden deren Bild ihn verfolgend umschwebte, in der Wirklichkeit aufsuchte, den Zwiespalt in seinem Innern zu lösen.

Glücklicher Weise vergaß mein Viktor über sein Träumen von einer unbekannten noch herrlichern Zukunft, der schönen Gegenwart nicht ganz. Wenn die in Italien schnell einbrechende Nacht Pinsel und Palette uns aus den Händen nahm, dann pflegten wir wohl selbander die Ruinen der alten heiligen Roma zu durchziehn, um die bunte Farbenpracht des untergehenden Tageslichtes, an ehrwürdigem Gemäuer erlöschen zu sehen. Wenn dann die Sterne, einer nach dem andern, am Himmelsbogen herauf gezogen kamen, dann gingen mir auch zuweilen die innern Lichter im Gemüthe meines Freundes auf. Viel Schönes haben sie mir erhellt; doch es erschien mir überall zu gigantisch. Ach, seine ganze Erscheinung war viel, viel zu groß, für den engen kleinen Raum eines spannenlangen Menschenlebens! Darum blieb er in diesem auch immer ein Fremdling, und mußte wie ein Fremdling daraus verschwinden."

Der Alte schwieg abermals einige Sekunden; Lili zuckte schmerzlich, wie ein Schlafender, den bange Träume beängstigen, und alle Anwesenden bemerkten mit stillem Mitleid diese Bewegung des lieblichen Kindes, das eben auch wie eine zarte fremde Blume in ihrer Mitte stand. Graf Strahlenfels saß, in sich versunken, bewegungslos da, auch Cölestine schien schmerzlich ergriffen zu seyn, es herrschte in dem Zimmer eine so lautlose Stille, daß man das Picken der Taschenuhren hören konnte. Meister Hubert strich Lili's gescheitelte Haare ihr von der Stirne, er verweilte bei diesem Geschäfte einige Augenblicke in fast segnender Stellung, als flehe er den Beistand des Himmels auf das junge schuldlose Haupt herab, dann nahm er wieder das Wort.

„Meine Arbeiten in Rom waren vollendet," sprach er; „ein Altarblatt, das ich für die Hauskapelle einer vornehmen Familie malen müssen, war eingepackt und abgesandt, und Viktor und ich hatten nun Muße, von langer Anstrengung uns zu erholen. Wir wandten diese zu kleinen Fußreisen an, von denen wir anfangs immer nach Verlauf weniger Tage wieder heimkehrten; doch mein Freund war noch so jung, so neu im Leben; unerfahren wie ein Kind, glaubte er, daß hinter jeder blauen Ferne sich die Welt seiner innern Ahnungen ihm erschließen könne, und so trieb es ihn immer weiter und weiter, und mich mit ihm. Ehe wir uns dessen versahen, fast ohne alle Verabredung, fanden wir uns auf einer ziemlich planlosen Wanderung durch Italien begriffen. Mit rastlosem Fleiße suchte Viktor die Zeit dieses Herumschweifens für

19

seine Kunst zu benutzen; überall strebte er, der Natur, unser Aller großen Meisterin, ihre Geheimnisse abzulauschen, wenn sie durch Schatten und Licht, Berg und Thal, Baum und Fels, zu einem großen, entzückenden Ganzen vereint. Und so zeichneten wir und wanderten wir, bis wir auf unsern Kreuz- und Querzügen endlich nach Verona geriethen; denn Viktors Sinn strebte, gleich der Magnetnadel, immer dem Norden zu, und mir galt Alles gleich, wenn ich mit ihm nur war.

Hier, von der obersten Stufenreihe des riesigen Denkmales einer kolossalen Vorwelt, des alten Amphitheaters von Verona, leuchtete meinem Freunde zum ersten Mal, in der Pracht des herrlichsten Sonnenunterganges, die lange Alpenkette des tyroler Gebirges entgegen. Blendend weiß, von blauen Schatten wundersam erhoben, glänzte in seltener Klarheit und Deutlichkeit die ferne Schneefläche, und die Sonne schmückte im Sinken die erhabenen, in ewiges Eis gekleideten Felsenhäupter, mit strahlenden glühenden Rosen. Viktor stand gefesselt, er suchte mit fast schmerzlicher, seltsamer Hast, ein deutliches Bild dieser ihm durchaus fremden Welt in seinem Innern aufzufassen, und nur einzelne Laute des überraschenden Entzückens drängten sich von seinen Lippen. Es war in ihm ein sichtbares Ringen, ein Bewegen, ein Kampf zwischen Wonne und abwehrendem Schaudern; – damals verstand ich ihn nicht, wie man denn dergleichen nie zur rechten Zeit versteht; ich freute mich nur seines für das Schöne empfänglichen Kunstsinnes, ich Thor! – Jetzt, ach jetzt weiß ich es wohl, was damals so unwiderstehlich und auch so bänglich ihn ergriffen hatte. Sein Schutzgeist winkte abwärts, und wir wurden in unserer beschränkten Geistesdumpfheit seiner Winke nicht gewahr!

,Uberto, das ist der ewige Schnee, was dort glänzt?' fragte Viktor endlich leise, fast tonlos. ,Das einfach helle Leuchten, jener verklärte Mondenschein, der auf der Erde dort schlummert, das also ist es,' sprach er tief aufathmend. ,Das ist es, was mir gefehlt, was ich gesucht, ohne es zu kennen. Und nun laß uns machen, daß wir fortkommen; denn dorthin müssen wir, in jene stille, einsame glanzvolle Herrlichkeit.'

Ohne eine Ahnung des tiefen Ernstes, mit welchem er diese Worte sprach, nannte ich ihn lachend ein Sündenkind, das an dem wunderschönen Italien, dem Paradiese der Jugend und der Künstler, unverzeihlichen Frevel übe. Ich wußte damals von zwei schönen Augen ihn verfolgt, und glaubte, er habe auf unserer Durchreise durch Florenz in die Liebesnetze der schönsten Florentinerin sich verstrickt, die je am Arno gewandelt. Um nur auf irgend eine Weise aus seiner exaltirten Stimmung ihn zu wecken, deren ich wohl gewahr ward, wagte ich es jetzt, jenes Verhältnisses scherzend zu erwähnen, von dem ich im Grunde wenig wußte; doch er hörte kaum halb auf das, was ich sagte.

,Darum eben will ich fort, fort von dem ganzen, mir entfremdeten Wesen,' sprach er vor sich hin. ,Uberto, mein treuer Uberto,' rief er plötzlich und drückte mich an seine Brust, ,so rein, so hell, so still möchte ich das Leben, wie es dort ist, wo jene Gluthensäule, das Bild meines Daseyns, in dem leuchtenden Schneegefilde sich kühlt.' Mit wehmüthigem Blicke deutete er dabei auf das Flammenbild der eben hinabgesunkenen Sonne, das in den Wolken, gleich einer goldnen Säule, empor stieg. Sie schien das in unbeschreiblicher Farbenpracht glühende Gewölbe des westlichen Himmels zu tragen, von dessen Herrlichkeit das Schneegebirge nur schwach wiederstrahlte.

Der Entschluß, unsre Reise über die Gränze von Italien auszudehnen, stand von diesem Augenblicke an so fest in der Seele meines Freundes, daß Alles vergebens blieb, was ich einwenden mochte, um ihn wenigstens für jetzt davon abzu-

21

bringen. Umsonst machte ich ihn darauf aufmerksam, wie kalt schon hier in Verona uns der Wind von dem Gebirge her anwehe, während im südlichern Italien der Mandelbaum bereits blühe, und der Frühling aus allen Hecken hervorlache; umsonst versicherte ich ihn, daß jenseits der Berge nur Nässe und Kälte uns erwarte, daß die Jahreszeit jetzt noch gar nicht zu einer solchen Reise sich eigne. Viktor pflegte nur selten ein bestimmtes Wollen zu äußern; aber dann geschah es immer anscheinend ohne alles Ueberlegen, und dennoch mit unerschütterlicher, oft leidenschaftlich sich äußernder Festigkeit. Ich kannte diesen Charakterzug meines Freundes, und fühlte eine fromme Scheu davor, dem aus der eigentlichen Quelle alles geistigen Lebens entspringenden Aufbrausen seiner reinen und kräftigen Natur zu widerstreben. Tritt doch das wahrhaft Große immer wie durch höhere Offenbarung in die Welt. Das Höchste, was der Held, der Dichter, der Künstler hervorbrachten, war nie ein mühsam Ersonnenes, das Aufleuchten eines Moments rief es zuerst in das Daseyn. Ueberraschend neu, wie ein Erzeugniß anderer Zonen, blüht der Keim des ächt Schönen und Großen zur Wunderblume auf; da ist kein langsames Knospen, kein mühseliges Entfalten. Darum darf keiner, der den Genius erkannte, ihm in den Weg treten, oder ihn stören wollen bei seinem, vielleicht anscheinend ungeregelten Walten, sondern er muß lieber ihm ausweichen und zurückbleiben, wenn er nicht gleichen Schritt mit ihm zu halten vermag."

Der alte Maler blickte mit leuchtenden Blicken im Kreise seiner aufmerksamen Zuhörer umher, und war vielleicht im Begriffe, den Faden seiner Erzählung noch weiter aus dem Gesichte zu verlieren, doch ein leises: „Und Viktor?" das Lili, fast nur ihm hörbar, hinhauchte, brachte ihn wieder zu demselben zurück.

„Viktor war ein kräftiger Jüngling," fuhr Meister Hubert

fort, „bei mir selbst damals, auch noch Wollen und Vollbringen Eins und Dasselbe; und so entschwanden wir denn unsern italienischen Freunden sehr schnell aus den Augen; keiner wußte, wohin wir uns eigentlich gewendet, während die flüchtige Woge des Lebens uns schon längst unbekannten Ufern zugetrieben hatte. Das erste Ziel unserer Reise war Tyrol, von dort wollten wir späterhin einen Ausflug nach Deutschland wagen, und zuletzt durch die Schweiz den Rückweg nach Italien suchen, dem Lande, das wir beide, unerachtet unsrer deutschen Abkunft, immerfort als unsere eigentliche Heimath betrachten mußten.

Viktors Sinn für das wild Romantische fand während unserer Wanderung im Gebirge volle Nahrung. Die herrlichsten Studien für seine Kunst boten bei jedem Schritte sich ihm dar, und er benutzte sie redlich, ungeachtet der ungünstigen Jahreszeit; auch ich zeichnete Vieles, und so näherten wir uns endlich mit wohl gefüllten Mappen dem ebenen Lande. Ich darf wohl sagen, daß wir Beide in der Zeit manches Gute und Lobenswerthe hervorgebracht haben; unsre Skizzen bedurften aber geordnet zu werden, viele derselben waren nur flüchtig, beinahe undeutlich hingeworfen, diesen war aus noch frischer Erinnerung schnelle Nachhülfe nöthig, und wir wandten dazu den kurzen Aufenthalt in einigen deutschen Städten an, durch die unser Weg führte. Wir hatten Glück unterwegs; wohin wir kamen, wurden wir freundlich empfangen, und wenn wir unsern Stab weiter setzten, ungern entlassen. Der Anblick unsrer, während der Reise gesammelten Zeichnungen wurde von den uns Befreundeten als ein werthes Geschenk aufgenommen; viele unsrer Gastfreunde waren früher auch in Italien gewesen, sie hatten sich ihrerseits von dorther ebenfalls Erinnerungen mitgebracht, das Altbekannte wurde dem Neugefundenen nachgerückt und verglichen, und manche überraschende Ansicht, mancher neue

Gedanke verdankte in der Folge diesem flüchtigsten Zusammentreffen sein Entstehen.

Absichtlich habe ich den mächtigen Eindruck unerwähnt gelassen, den der erste nähere Anblick jener ihm neuen Gebirgswelt auf das Gemüth meines jungen Freundes machte; denn wie könnte ich es versuchen, das Unaussprechliche in den engen Rahmen des Wortes fassen zu wollen? Dieser Eindruck ward noch unendlich erhöht, als wir jetzt in der herrlichsten Sommerzeit die Schweiz durchzogen, doch äußerte er sich durchaus nicht auf stürmische Weise. Viktors Seele stand mit der in stiller erhabener Größe ihn umgebenden Natur im reinsten Einklang; auf beiden ruhte ein heiliger Gottesfrieden, er kam auch über mich, und füllte in jenem Wunderlande auch meine Seele allein. Alles Beengende, alles Kleinliche schwand vor der stillen Erhabenheit, die überall mir entgegen leuchtete, aus den friedlichen Seen, von den blitzenden Gletschern; wenn der Abendstern gleich einer Himmelsleuchte an den Gipfeln der höchsten Berge hing, oder wenn ich durch das klare, helle Auge meines Freundes tief hinab in sein großes, schönes Herz blicken, und die geheimsten Regungen belauschen durfte. Auch von meinem Viktor schien alles Leidenschaftliche gewichen, es war, als habe süße Befriedigung alle seine Wünsche eingelullt, er war sanft, still, fromm wie ein Kind, ich ahnte nichts davon, daß dieses die Windstille sey, die dem kundigen Schiffer das nahende Unwetter verkündet.

Die deutsche Schweiz lag jetzt hinter uns; von Genf aus traten wir den Weg nach dem Thale von Chamouny an, um zuletzt, auf weiten Umwegen, über die Gebirge Savoyens zurück in die Heimath zu gelangen. Der mildeste Abend hatte in rosigem Glanze sich auf die Erde gelagert, Alles athmete Erquickung von der Tagesgluth, und gleich einem Blüthenkranze schwebte leichtes Gewölke, um die in ewigem

Schnee starrenden Häupter, der höchsten Berge in unserm Theile der Welt. Still entzückt wanderten wir dahin, und fühlten uns wie in ein Zauberland versetzt, als wir bei einer Biegung des Weges ganz unerwartet den *Nant d'Arpenas* in einen Regen von Diamanten verwandelt, dicht vor uns, von einer schwindelnd hohen, steilen Felsenwand herabstäuben sahen; so leise, so zart, so elfenartig, als wäre es nur der Geist eines Wasserfalls. Das Zauberische dieses Anblicks, in der wunderschönen Abendbeleuchtung, riß zu einem Unternehmen mich hin, über das ich oft bei andern Malern, als über eine unverzeihliche Verwegenheit gespöttelt hatte. Wie kann man nur, hatte ich oft gesagt, den Staubbach zeichnen oder gar malen wollen, dieses allerbeweglichste Schauspiel der Natur, für das jeder Strich, jede Farbe zu körperlich ist, dieses Wasserluftschloß, dessen Strahlensäulen sich in jeder Secunde neu erheben, um wieder zu versinken; und dennoch setzte ich selbst mich dieses Mal hin, um einen noch zartern, jenem sehr ähnlichen Wasserfall auf dem Papier festhalten zu wollen.

Viktor bezeigte über dieses mein Beginnen eine Ungeduld, die ich bis jetzt während der ganzen Reise nicht an ihm bemerkt hatte. Er wiederholte mir alle die Ermahnungsreden, die ich früher selbst bei Gelegenheit solcher Malerexcesse gehalten hatte, und bat mich endlich, zu bedenken, wie schädlich die Zugluft nach einem sehr heißen Tage in diesem engen feuchten Thale mir werden könne. Ich zeichnete halb aus Muthwillen, halb aus Eigensinn fort; aber beim Aufstehen von dem durch den Diamantenregen dennoch feucht gewordenen Rasen, fühlte ich nur zu gut, wie sehr mein Freund Recht gehabt habe; ich hatte einen Anfall von Rheumatism mir zugezogen, und nur mühsam gelang es mir, noch an diesem Abende das Städtchen Sallenches zu erreichen.

Völlig zum Wandern gerüstet, stand Viktor am nächsten

Tage, bei kaum grauendem Morgen, schon vor meinem Bette. Ich fühlte mich wieder hergestellt, wollte mich fertig machen, ihn zu begleiten, doch er hielt mit sanfter Gewalt mich davon ab.

‚Bleibe und pflege deiner Gesundheit in diesem freundlichen Hause,‘ bat er; ‚zeichne deinen Wasserfall von Arpenas der Seltenheit wegen vollends aus, und vergiß mir nicht, aus jenem Eckfenster, die überherrliche Ansicht des Mont Blanc für unsre Sammlung aufzunehmen. Folge mir morgen nach Chamouny, wenn deine Gesundheit dir dieses erlaubt, mich aber laß in dieser Stunde fort,‘ bat er dringender, als ich darauf bestand, sogleich mit ihm zu gehen. ‚Es duldet mich hier nicht, es ist in mir eine Unruhe! Die ganze Nacht über habe ich mit Ungeduld den Morgen erwartet, um nur fortwandern zu können. Mir ist, als riefen mich Geisterstimmen, als erwartete mich in Chamouny etwas Namenloses, Unbeschreibliches. Und so ist es ja auch; denn dort erst soll ja diese gigantische Bergwelt in ihrer höchsten Pracht sich mir eröffnen. Laß mich allein ihr entgegen, alter Freund, du kennst ja meine wunderliche Weise, du weißt, wie sehr ich zuweilen der abgeschiedensten Einsamkeit bedarf.‘

Was konnte ich thun! ich glaubte zu fühlen, daß auch mir die Ruhe eines völlig einsam zugebrachten Tages wohlthätig seyn könne. Viktor versprach, ohne mich keine bedeutende Wanderung im Gebirge zu unternehmen, mich zwei Tage in Chamouny ruhig zu erwarten, und wenn ich nicht in dieser Frist zu ihm käme, auf geradem Wege wieder nach Sallenches zu mir zurückzukehren. Und so schied er von mir.

Undurchdringliche Wolken verschleierten am nächsten Tage die Berge, graue feuchte Nebel durchrieselten erkältend das Thal, und zwangen mich zu längerm Verweilen; doch am darauf folgenden Morgen ging die Sonne am heitersten blauen Himmel auf, ich machte mich, völlig wieder hergestellt, auf den Weg und langte noch vor Abend in Chamouny an. Mein Freund war zwei Tage früher glücklich dort angekommen, man erwartete im Gasthofe jeden Augenblick von der Quelle des Arveiron ihn zurück, wohin er eine fremde, junge Dame begleitet hatte. Den Namen der Dame wußten die Leute mir nicht zu nennen, doch alle priesen ihre Schönheit, ihre Freundlichkeit, ihre herablassende Güte. Ich schüttelte lächelnd den Kopf, und ließ in Viktors Zimmer mich führen; denn das Haus war überfüllt von Fremden, und weiter kein Raum für mich noch zu finden.

Ich trat voll ungeduldiger Erwartung an das Fenster. Man sah es dem Hause schon von Außen an, daß es Gäste von vornehmem Range beherbergte. Ein Paar Zöfchen saßen vor der Thüre und klimperten auf der Guitarre, einige, in reiche Livrée gekleideten Bedienten gafften müßig umher, und seitwärts stand der eleganteste, bequemste Char a banc, sicherlich das Eigenthum der Herrschaft aller dieser Leute, der gegen die unter diesem Namen hier gangbaren Fuhrwerke ungefähr eben so sehr abstach, als die niedern Hütten dieser armen Thalbewohner gegen einen fürstlichen Palast.

,Die Gräfin kommt noch immer nicht,' krächzte eine alte, fette Weiberstimme unter mir zu einem Fenster hinaus, und zwar in deutscher Sprache. Aha, dachte ich, die Dame ist also eine Gräfin, eine Deutsche obendrein, und die Duenna da unten wahrscheinlich eine Art Gouvernannte, die das Comteßchen bewachen soll. Indem kam der Zug der Reisenden das Thal hinauf, Viktor führte das Maulthier der Dame am Zügel, und nur ein Paar Führer und einige Diener machten das Gefolge aus. Mit ehrfurchtsvollem Anstande, als bediene er eine Königin, half mein Freund der schönen ätherischen Gestalt sich aus dem Sattel zu schwingen, beide standen noch eine Weile vor dem Hause, ehe sie hineingingen, und der ganze Prachtbau der unbeschreiblich hohen Natur um sie her, schien sich mir in diesem Augenblicke zu einem festlich geschmückten Tempel für diese beiden Göttergestalten zu wölben. Nie habe ich Aehnliches auf dieser Erde athmen und wandeln gesehen; nur sie war ihm, nur er war ihr, an Schönheit, Anmuth und Würde zu vergleichen. Ein Himmel von Wonne leuchtete aus ihrem dunkelblauen Auge, sein Fuß schien kaum die Erde zu berühren, als er in das Haus ihr folgte, und wenige Minuten später zu mir in das Zimmer trat.

‚Das war es also, was keine Ruhe dir ließ,‘ rief ich ihm entgegen. ‚Es ist so, es mußte ja so seyn, ungeduldige Sehnsucht ohne Ziel geht dem Erwachen des Herzens voran, wie das Frühgestirn dem Phöbos, ehe der junge Gott aus dem Rubinenthore der Morgenröthe tritt, um der umdunkelten Welt Licht und Wärme zu bringen. So ist denn dein Tag endlich gekommen, mein Viktor,‘ setzte ich tiefer bewegt hinzu, denn ich las in den strahlenden Augen meines Freundes das seligste Geständniß, ‚die Liebe ist in dein bis jetzt farbenloses Leben getreten, schnell, unerwartet, wie jener Regenbogen, der im Osten die Wolkenschleier zerreißt; möge sie, gleich ihm, zur glänzenden Brücke sich gestalten, die dir den Himmel mit der Erde verbindet!‘ Viktor warf sich mir in die Arme, er drückte mich an die hoch bewegte Brust, sein Auge aber bat: forsche nicht weiter, frage mich nicht! – und ich fragte auch nicht.

Mit dem Morgenroth stand er wieder vor meinem Bette. ‚Ich muß hinaus, den Frühgottesdienst unter dem Donner der Lawinen zu feiern,‘ sprach er eilend. ‚Erwarte mich hier, in wenigen Stunden bin ich wieder bei dir, und mein Uberto, habe Geduld mit einem Seligen, der an den Himmel und seine Engel sich noch nicht gewöhnt hat.‘ Er war mir entschwunden, ehe ich ihm antworten konnte.

Halb freudig, halb verdrossen blieb ich zurück. Sein Glück

war das meine; aber es that mir doch wehe, nicht Augenzeuge davon seyn zu dürfen. Daß irgend eine Wolke den Freudenhimmel meines Freundes trüben, daß irgend ein Hinderniß sich ihm entgegen stellen könne, dieses zu befürchten, kam mir gar nicht in den Sinn, während ich in meiner Phantasie die glänzendsten Luftschlösser für ihn erbaute. Ich habe viel erfahren, aber ich hatte von jeher wenig Talent dazu, mir Lebensklugheit zu erringen; von vielem, was Andre sahen und merkten, wurde ich von jeher wenig gewahr, selbst um mein eignes Geschick habe ich mich nie sonderlich bekümmert. Machte das Geschick mir irgendwo einen Klecks oder eine Verzeichnung hin: so war ich sogleich redlich bemüht, das Aergerniß zu übermahlen, bis ich selbst es nicht gewahr wurde; und so brachte ein Tag den andern herbei. Im Grunde paßte ich nie recht zu den übrigen Menschen, und auf die Länge wird es damit immer schlimmer; es wird mir immer sichtbarer, daß auch zu mir Keiner mehr passen will, seit Er dahin ist."

Trübe in sich gekehrt, den Kopf auf die Hand gestützt, saß der alte Maler eine Weile schweigend da, seine Umgebung anscheinend vergessend, doch ein Paar freundliche Worte Cölestinens weckten ihn aus seinem düstern Nachsinnen, und er nahm wieder das Wort.

„Viktor blieb noch immer aus, während es begann im Hause lauter zu werden, und so stellte ich mich denn völlig unbekümmert an das Fenster, und konterfeite für die Langeweile und nicht ohne Gelingen, die ziemlich unförmliche Figur der alten Gouvernante oder Gesellschafterin der schönen Gräfin ab, deren Stimme mir am vergangenen Tage einen sehr richtigen Begriff von ihrer Persönlichkeit gegeben hatte. Noch war ich mit dieser Aufgabe beschäftigt, als ein Char a banc herbeirollte, dessen Ankunft das ganze Haus in Aufruhr brachte; sämmtliche Dienerschaft der Gräfin eilte

herbei, den langen hagern Herrn, der eben ankam, zu empfangen, und der noch, ehe er sein Fuhrwerk verließ, den
Leuten einige Befehle ertheilte, welche diese sogleich wieder
in alle Winde verstreuten. Dann watschelte die Duenna
herbei, sie und der neue Ankömmling begrüßten einander
wie alte Bekannten und gingen hernach im eifrigen Gespräche
vor dem Hause auf und nieder. Sie redete eifrig in ihn hinein,
er sah halb listig, halb zornig dazu aus, schüttelte zuweilen
den, auf einem langen dünnen Halse schwankenden Kopf,
und zog die schuhbürstenartigen Augenbrauen bis an die
Perücke hinauf.

Es war nicht anders möglich, diese fatale Figur mußte ein
Widersacher der jungen Liebe meines Freundes seyn, ob als
Vater, Oheim oder Vormund? galt hier gleich. Ich ärgerte
mich gewaltig über den Signor Pantalone, denn als solcher
erschien er mir. Tausend possenhafte Anschläge, ihn hinter
das Licht zu führen, schwirrten mir durch den Kopf. Doch
indem kamen Viktor und die Gräfin von ihrem Morgen-
spaziergange zurück, und Alles gewann ein ganz anderes
Ansehen, als ich erwartet hätte. Die Duenna, der alte Pantalone, das ganze, vor dem Hause versammelte Personale,
nahm bei dem Erscheinen der Beiden eine Ehrerbietung
verkündende Stellung an. Viktor blieb in einer kleinen Entfernung zurück, während die Gräfin dem Hause sich näherte,
und Signor Pantalone ging sogleich in der submissesten
Stellung ihr entgegen, um ihr unter tiefen Verbeugungen
einen Brief zu überreichen. Im Gespräche mit ihm kam die
Gräfin dem Hause jetzt näher, und ich hörte deutlich, wie er
ziemlich peremtorisch, wenn gleich in tiefster Unterthänig-
keit, zu verstehen gab: daß alle Anstalten bereits getroffen
wären, um noch in dieser Viertelstunde abreisen zu können,
indem die Umstände Eile erforderlich machten.

Ein verabscheidendes Neigen des schönsten Köpfchens

entfernte jetzt den Unberufenen; die Gräfin näherte sich meinem trostlos in sich versunkenen Freunde, der bleich wie eine Marmorbüste, und eben so regungslos, mit starrem, erstorbenem Auge den Anstalten zu ihrer Abreise zusah; sie sprach zu ihm, und zum ersten Mal hörte ich den weichen rührenden Ton ihrer Stimme. Doch wozu die peinliche Qual jener Augenblicke mir langsam erneuern? Fünfzig Hände waren indessen geschäftig gewesen, das Gepäck war aufgeladen, die Thiere gesattelt, die Wagen bespannt. Schon am Char a banc stehend, reichte die Gräfin meinem Freund eine Rose, die sie vorhin von ihrem Spaziergange mitgebracht hatte. ,Bewahren Sie sie mir zum Andenken, wenn ich nun bald in jenem Lande bin, wo die Blume der Freude und Liebe nicht mehr in Freiheit blühen kann; wo man nur künstlich sie zwingt, ein schwaches Leben zu heucheln,' sprach sie in italienischer Sprache; ihre Lippe zuckte schmerzlich, leises inneres Weinen brach den sanften Ton ihrer Stimme. Ein dichter Schleier fiel über ihr Gesicht herab, noch einmal neigte sie sich vom Wagen gegen meinen vernichteten Freund, noch einmal winkte die zarte Hand ihm den Abschiedsgruß, und . . . ."

Ein Schreckensruf Cölestinens, ein diesem folgender dröhnender, klirrender Fall unterbrach hier den Maler, und trieb alle Anwesenden von ihren Sitzen auf. Graf Strahlenfels lehnte an einem Thürposten, todtenbleich, in halber Bewußtlosigkeit. Er hatte sich unwohl gefühlt; um des Malers Erzählung nicht zu stören, war er leise aufgestanden, und hatte versucht, sich unbemerkt fortzuschleichen; doch als er die Thüre des Zimmers erreichte, wurde der Schwindel heftiger, und im Bemühen sich zu halten, stieß er einen kleinen, mit Gläsern besetzten Tisch um, dessen lauter Fall seine Betäubung noch vermehrt hatte.

Cölestine begleitete ihren Gemahl aus dem Zimmer, während die Gesellschaft in einem sehr drückenden, fast aufgelösten Zustande beisammen blieb. Theilnahme hielt jeden an seinem Platze fest, und doch wußte keiner genau, was hier besser sey, Gehen oder Bleiben? zu thätiger Hülfe sich erbieten? oder sich ruhig verhalten? Die Genien des Malers hatten in eine Ecke des Zimmers sich zusammen geflüchtet, und ihr alter Freund saß ganz still in sich gebückt da, ohne um das Reden und Flüstern der Uebrigen sich zu bekümmern. Doch Niemand schien bedrückter als die arme Lili, sichtbar beängstigt von der Unruhe um sie her, hatte die Kleine an den Flügel sich geschlichen, und strömte nun plötzlich ihre innere Angst in unendlich klagenden Accorden aus, bis ein alter ernster Herr, nach einem derben Verweise über den unzeitigen Lärm, der den kranken Grafen leicht beunruhigen könne, das Instrument zuschloß! Große Thränen in den Augen, blieb die arme Lili mit gefalteten Händchen ganz stille davor sitzen, wie ein verlaßnes Kind vor der verschloßnen Thüre des Vaterhauses; sie kam sich so allein, so verbannt vor, ihr war so verlassen zu Muthe, daß sie vor Mitleid mit sich selbst bitterlich weinen mußte. Da faßten ein Paar weiche warme Hände ihr Köpfchen, es aufwärts drehend, und das Kind blickte in Cölestinens liebe freundliche Augen. Die schöne Frau war dicht hinter Lili durch eine Tapetenthüre in das Zimmer getreten, und ihr heiterer Blick bestätigte, was ihre Worte verkündeten, daß der Zufall ihres Gemahls nur ein leichter, ohne üble Folgen vorübergehender gewesen sey. Keine Spur der bangen Besorgniß, mit der sie vorhin den Grafen hinaus begleitet hatte, störte mehr die gewohnte Harmonie ihrer Züge, und die anwesenden Freunde glaubten zum ersten Male in dem Betragen der Gräfin etwas Räthselhaftes zu bemerken. Alle waren durch den mitunter ziemlich seltsamen Vortrag des Malers in eine aufgeregtere Stimmung gerathen, in der es ihnen schien, als müsse des Grafen

32

plötzliches Uebelbefinden mit der Erzählung des Ersten im Zusammenhange stehen, und auf etwas Wichtiges deuten; sie erwarteten in großer Spannung, den nähern Zusammenhang der Dinge erklärt zu sehen, und nun trat die schöne Frau, ganz unbefangen, als ob gar nichts vorgefallen sey, in ihre Mitte. Die Verwunderung stieg noch höher, als nach kurzer Frist die Diener sich anschickten, wie gewöhnlich Erfrischungen herumzureichen, die Gräfin Cölestine die Gesellschaft einlud, ihre Plätze wieder einzunehmen, und sogar den Meister Hubert bat, in seiner Erzählung fortzufahren, deren Entwickelung, wie sie versicherte, ihr Gemahl von ihr zu hören wünsche.

Hubert sah Cölestinen lange mit einem ganz eignen forschenden Blicke an, als suche er vergebens, sich auf etwas ihm längst entschwundenes zu besinnen. Eine Thräne schimmerte in seinen dunkelen Augen, die Niemand als Cölestine bemerkte, und der Gegensatz dieses weichen Moments, mit der gewohnten Schroffheit des Alten, rührte sie tief; obgleich sie den Grund desselben sich nicht zu erklären wußte.

„Ich stand schon unten neben meinem Viktor, als der Wagen fortrollte," fing Meister Hubert endlich wieder an. „Mit einem Schmerzenlaute, der mir durch die Seele drang, warf Viktor sich an meine Brust, und ließ dann geduldig wie ein Kind sich von mir führen, wohin ich wollte. – Ich traf sogleich alle Anstalten zu unserer Abreise, denen er gleichgültig zusah, als gingen sie ihn gar nichts an. Er dachte nicht mehr daran, die höchsten Gebirge, vielleicht gar den Montblanc besteigen zu wollen, wie wir früher halb und halb schon beschlossen gehabt hatten, auch mir, war in der Brust Lust und Muth zu dergleichen Unternehmungen erstorben, und so blieb für uns nichts weiter zu thun, als den nächsten Weg in die geliebte Heimath zu suchen.

Unsre Reise ging im Ganzen weit besser von Statten, als ich

unter solchen Umständen es erwartet hätte. Viktor war zwar in den ersten Tagen sehr still und bewegt, aber doch sanft und freundlich, und ich ließ ihn gewähren, ohne mit Fragen und vielem Reden ihn zu quälen. Auch waren meine Sorgen um ihn sehr gemäßigt, ich baute, und mit Recht, auf seine feste unverschrobne Natur, auf seine frische Jugend, auf sein gerades unverzärteltes Wesen, besonders als Italiens reiner blauer Himmel sich wieder über uns wölbte. War mir doch selbst, als genese mein Herz von jeder Sorge, sobald nur aus italienischen Feueraugen mir Lust und Freude wieder entgegen blitzte und das Leben in raschern Kreisen sich um mich bewegte. ‚Hier, Viktor,' rief ich, ‚muß dir wieder wohl um das Herz werden, hier, wo man mit der Luft Kraft zum lebendigen Wunsche einathmet, und alle Sinne das Anrecht an Glück empfinden, mit welchem auch der niedrigst Geborne in die Welt tritt. Gott Lob! daß wir dem trüben farbenlosen Himmel entronnen sind, wo am Ende doch Alles im ewigen Kampfe mit den Elementen, mit Kälte und Nässe, verkümmern muß!'

Viktor hörte wehmüthig lächelnd mich an, er hütete sich, mir laut Recht zu geben; aber ich sah dennoch, wie es wohl ihm wurde beim Anblick einer heiteren Natur. Ich würde ihn ganz genesen geglaubt haben, wenn nicht eine Aeußerung, die gleich in den ersten Tagen ihm entschlüpfte, mich vom Gegentheile überzeugt gehabt hätte. Es war an einem sehr schwühlen Abende, Gewitterwolken thürmten in der Ferne sich auf. ‚Weißt du noch, Uberto,' sprach mein Freund zu mir, ‚weißt du noch, wie ich sonst in diesen Wolkengebilden die Gipfel und Zacken der Alpen und Gletscher zu sehen träumte? erinnerst du dich noch, wie sehnsuchtsvoll mein Auge an ihnen hing? Mein Freund, diese Dunstgebilde täuschen mich nicht mehr, kein optischer Betrug vermag es, dieses ewige Sehnen und Brennen zu kühlen.' Schmerzlich wandte er bei diesen Worten sich ab, fast erschrocken, so viel von seinem Herzen verrathen zu haben, und ich sah ihn den ganzen Abend nicht wieder.

Wir hatten nach Bologna uns gewendet, wo ich einige Geschäfte abzuthun hatte, und Viktor erklärte mir jetzt, daß es vor der Hand ihm unmöglich sey, mich zurück nach Rom zu begleiten. Er gab vor, fern von dem Einflusse römischer Kunstfreunde, nur dem eignen Genius überlassen, in Bologna einige Zeit arbeiten zu wollen, um sich mehr Festigkeit und Sicherheit anzueignen, deren er noch bedürftig zu seyn glaubte. Ich mußte ihm zugeben, daß hieran etwas Wahres sey; aber ich ward daneben doch auch gewahr, daß Viktor mit Niemanden seyn wolle, weil er mit Ihr, der Namenlosen, nicht mehr seyn könne. Ich ließ ohne Widerrede ihn seinen Willen befolgen, in der festen Ueberzeugung, daß er im kurzem eines Andern sich besinnen werde, und verließ ihn, um nach Rom zu gehen, ohne eine Frage nach der eigentlichen Geschichte seines tiefen Leidens, ja sogar ohne einen eigentlichen Begriff von demselben; denn ein Gefühl, wie das, welches sich jetzt seiner bemächtiget hatte, lag mir von jeher zu fern. Man mußte Er seyn, um zu lieben, wie er liebte, das habe ich erst später eingesehen; meine einzige Geliebte war von jeher die Kunst gewesen, und nur um ihretwillen huldigte ich der Schönheit, wo ich sie antraf. Uebrigens zweifelte ich nicht im geringsten daran, daß Viktor mir Alles vertrauen würde, sobald ich ihn nur befragen wollte; mein inneres Gefühl sträubte sich indessen dagegen. Wußte ich doch genug, um seinen Schmerz mit ihm zu theilen, und auch, daß er mich und keinen Andern zum Vertrauten wählen würde, sobald er fühle, er könne in Klagen Trost finden. Nichts war von jeher mir verhaßter, als jenes gutmüthige Forschen guter Freunde, die uns zwingen, zu ihrer eignen Beruhigung Wunden schmerzlich wieder aufzureißen, die im

Stillen vernarben könnten, wenn man uns nicht nöthigte, sie gewaltsam an das Licht zu bringen.

Nach sechs Monaten stellte Viktor, wie ich es vorhergesehen hatte, sich ganz unerwartet bei mir ein. Sein Vater hielt sich seit einiger Zeit gewöhnlich in Genua auf, und mein Freund blieb daher von nun an ganz in meiner Nähe. Mit Verwunderung betrachtete ich, was er in Bologna gezeichnet und gemalt hatte; er war unglaublich fleißig gewesen, und hatte im Technischen der Kunst die bedeutendsten Fortschritte gemacht; aber bei vielem, was er mir zeigte, vermißte ich jenen frischen jugendlichen Morgenhauch, der früher seinen weniger vollendeten Arbeiten einen unerklärlichen Zauber geliehen hatte. Mir schien es, als wären seinem Genius die Flügel gelämt, und dieser vermöge es nicht mehr, ihn im ungeregelten Fluge so hoch über alles Gewöhnliche zu tragen. Auch im Aeußern war mit meinem Viktor eine merkliche Veränderung vorgegangen, mein Freund war ein Mann geworden, mündig gesprochen durch den ersten großen Schmerz seines Lebens; und ohne dadurch an Anmuth zu verlieren, hatten seine Züge eine weit ernstere Bedeutung erhalten.

Unser Leben in Rom begann sich jetzt sehr freundlich zu gestalten; geistreiche Freunde, schöne liebenswerthe Frauen, zogen meinen Viktor in ihre lebensreichen Kreise, und mich mit ihm. Wo er sich zeigte, schlugen die Herzen ihm rascher entgegen, manch' schöner Busen hob sich höher, wenn er erschien; manch' strahlendes Auge trübte sich und blickte sehnsüchtig ihm nach, wenn er ging; und ich war thörigt genug zu hoffen, daß mein junger Freund durch Alles dieses einem Zustande entrissen werden könne, dessen traurige Wirklichkeit ich empfand, ohne jedoch ihn mir deutlich denken zu können.

Eine, wenigstens sehr anmuthig beginnende Episode in

unserm damaligen Künstlerleben bestärkte mich noch mehr in diesem Hoffen. In Rom lebte ein Mädchen, es hieß Gaetana, ein seltnes liebliches Wesen, ausgestattet von der Natur mit einer wahrhaft bewundernswerthen Gestalt. Das liebliche Kind lieh uns Malern zuweilen einen Arm, oder den Fuß, oder den prächtigen Nacken zum Modell, doch nie anders als im Beiseyn der Mutter, einer sehr rechtlichen Matrone, ohne deren Begleitung Gaetana sich nirgend, sogar nicht auf der Straße, oder in der Kirche blicken ließ. Der Erwerbzweig, den das schöne Mädchen ergriffen hatte, ist übrigens in ihrem Vaterlande unter der ärmern Bürgerklasse weder selten noch verachtet, und überdieß zeichnete Gaetana sich auch eben so sehr durch ihre Sittsamkeit, als durch ihre Schönheit aus. Die Seufzer und Blicke der ganzen jungen Künstlerwelt, deren Abgott sie war, folgten jedem ihrer Schritte, und dennoch glaube ich behaupten zu können, daß keiner unserer jungen Maler es jemals gewagt hat, die schöne Gaetana nur mit einem unziemenden Worte zu beleidigen.

Viktor war erst seit einigen Tagen zu mir zurückgekehrt, als das Wundermädchen und dessen Mutter eines Morgens in meine Werkstatt traten, wohin ich sie eingeladen hatte; denn ich bedurfte des schönen Profils, des herrlich geformten Nackens zu einer Musa, einer der Hauptfiguren auf einem großen Gemälde, das mich damals ausschließend beschäftigte. Viktor erblicken, beide Hände vor das Gesicht schlagen, heftig betheuern, daß sie mir nicht Modell stehen könne, waren eins bei dem Mädchen. Wie gejagt von unsäglicher Angst, ergriff es den Arm der Mutter, und wollte mit dieser augenblicklich wieder der Thüre zu. Ich gestehe es, ich wurde über ein Betragen entrüstet, das ich für Eigensinn und Laune des Augenblicks halten mußte, und drang ziemlich heftig auf Erfüllung des mir geleisteten Versprechens. Doch alles, was ich sagen mochte, wurde nicht beachtet, bis endlich Viktor hinzutrat, und mit seiner gewohnten milden Art das Mädchen ermahnte, mir Wort zu halten. Da brach das seltsame Kind in Thränen aus, riß mit einem ganz eignen Ausdrucke von Leidenschaftlichkeit Viktors Hand an die Lippen, und nahm sogleich die ihm früher von mir vorgeschriebene Stellung an.

Ueber die Gruppe, die sich jetzt ganz ungesucht mir vor Augen stellte, hätte ich gern die schon angefangene Komposition aufgegeben, wenn dieses noch möglich gewesen wäre. Viktor stand gleich einem schützenden ernsten Cherub über das Mädchen hingebeugt, und Gaetana halb stehend, halb auf einem Polster knieend, blickte träumerisch zu ihm auf wie ein frommes Kind, dem das Paradies mit seinen Engeln sich öffnet.

Gaetana kam von nun an täglich, selbst wenn ich ihrer als Modell nicht bedurfte. Stunden lang konnte sie dasitzen, und meinem Freunde zusehen, wenn er malte; ihre Neigung zu ihm entwickelte sich nach und nach zur leidenschaftlichsten Gluth, die je in einem südlichen Busen entbrannte. Sie bewachte jeden seiner Schritte, doch da sie dabei nichts entdeckte, was ihr zur Eifersucht hätte Anlaß geben können: so behielt ihre Liebe jenen zarten Schimmer inniger Ergebenheit, den im entgegengesetzten Falle die ihrem Volke eigne Heftigkeit bald abgestreift haben würde. Ich möchte sagen, sie habe mit einer Art religiöser Schwärmerei ihn geliebt, so unbedingt ergeben bezeigte sie sich ihm. Das Seltsamste aber war, daß, seit Gaetana meinen Freund bei mir gesehen, weder Bitten noch große Verheißungen, weder Mangel noch wirklich bittre Noth, das wunderbare Wesen bewegen konnten, andern Malern außer mir Modell zu stehen; die Arme hätte leicht darüber verhungern können, denn sie wußte auf der Welt nichts weiter, um damit ihr Leben zu fristen, doch Viktor nahm sich ihrer an; er gab ihr und sie nahm auch von ihm, wenn sie dessen bedurfte, obgleich sie alle, ihr früher von Andern gebotnen, zum Theil reichen Geschenke mit Stolz abgewiesen hatte, und dieses auch noch that. Auf diese Weise war zwischen den Beiden eine Art von Verhältniß entstanden, das ich zwar nicht mißdeuten konnte, wie unsre übrigen Bekannten es thaten, dem ich aber dennoch mit Freuden zusah, weil ich die völlige Heilung meines Freundes davon erwartete. Denn es schien mir unmöglich, daß die heiße treue Liebe eines solchen Prachtgebildes der Natur nicht über die beinah verjährte Erinnerung an wenige flüchtigen Stunden sollte Herr werden können.

Lange wiegte ich mich in solchen Träumen. Viktors seit einiger Zeit sichtbar zunehmende Schwermuth bestätigte mich in meinem Hoffen; denn ich sah in dieser nur den Beweis eines heftigen Kampfes in seinem Innern, bei welchem, meiner Ueberzeugung nach, die blühende Gegenwart über die erbleichende Vergangenheit siegen müsse. Da stürzte eines Morgens Gaetana in mein Zimmer, blaß wie eine Todte, mit wild fliegendem Haar. Ihre zitternde Hand hielt einen Zettel mir entgegen, den sie unterwegs Viktors Bedienten abgenommen, von dem sie auch erfahren, daß sein Herr plötzlich verreiset sey. In dem Briefchen selbst nahm Viktor in kurzen Worten auf unbestimmte Zeit Abschied von mir; er war wirklich fort, Niemand wußte wohin, es war gerade ein Jahr, daß wir mit einander in Chamouny gewesen waren.

Ich mag das Gefühl nicht weiter ausmalen, mit dem ich all' mein Hoffen vereitelt, meinen Freund tiefer als je in einen Abgrund von Elend versunken sah, dessen Umfang ich gar nicht wagte ermessen zu wollen. Gaetana's wilder, an Wahnsinn gränzender Schmerz, als sie endlich die Ursache der Entfernung des Geliebten errieth, überschritt alle Gränzen und erhöhte meine eigene Pein. Erst nachdem sie Wochen lang mich durch ihre Klagen, bald zur Ungeduld ermüdet, bald zum tiefsten Mitgefühl bewegt hatte, ward sie es endlich müde, mich zu quälen.

Endlich, nach dem Verlaufe mehrerer Wochen, kehrte mein Viktor wieder zu mir zurück. Bleich, verstört, nur noch der Schatten von sich selbst, warf er gleich einem Verzweifelnden, sich in meine Arme. ‚Vergib mir,‘ rief er, ‚es ließ mir hier länger keine Ruhe; um nur noch ferner das Leben tragen zu können, mußte ich wieder athmen und wandeln, wo sie einst geathmet und gewandelt hat. Mir rief es innerlich zu: ich müsse sie dort finden, ich müsse sie sehen und sterben. Ach! die Natur war wie sonst, die eisgekrönte Quelle des Arveiron, der in ewigem Schweigen verhüllte Montblanc, Alles war wie sonst; aber die Rosenlichter fehlten, die wenige Stunden hindurch mein Daseyn erhellten, und dann es versinken ließen, in dunkle kalte, nie endende Nacht! Nie werde ich sie wiedersehen, spurlos ist sie verschwunden. Niemand wußte etwas von ihr, so viel ich auch fragen mochte, kaum daß man im Gasthofe sich ihrer noch erinnerte. Sogar das Zimmer, das sie bewohnt hat, war verändert, und unerträgliche Gesichter hauseten in meinem Heiligthume.‘

Was konnte ich thun! ich nahm meinen Viktor in meine Arme, an mein Herz; ich suchte durch mildes Zureden ihn zu beruhigen, wie ein Vater sein verwundetes Kind, und war dabei nur froh, daß er endlich sein langes Schweigen zu brechen und seinen Schmerz in lindernde Klagen ausströmen zu wollen schien.

‚Sie ist dir nicht verloren, sie kann dir nicht verloren seyn,‘ sprach ich, ‚sie soll es nicht seyn. Du weißt ihren Namen, den Ort ihrer Geburt, ich lasse Alles stehen und liegen, und wir ziehen morgen aus sie zu suchen. Familienverhältnisse, Stolz ihrer Verwandten, stellen sich dir vielleicht entgegen; sie ist reich, vornehm, eine Gräfin, wie ich hörte; doch auch du bist aus einem alten edlen Hause entsprossen, dessen kein gräfliches sich zu schämen hat. Laß vor allen Dingen uns zu deinem Vater reisen.'

Wilde Ausbrüche des furchtbarsten Schmerzes unterbrachen meine Worte; noch nie zuvor hatte ich den geliebten Freund gesehen, wie er sich jetzt mir zeigte, ein von Furien dem Wahnsinne zugetriebener Orest, der Raub der entsetzlichsten Verzweiflung. Er kam nur wieder zu sich selbst, um sich in bittre Klagen zu ergießen; mit rührendem Vertrauen suchte er jetzt, da jede Hoffnung ihm geschwunden, an meinem Herzen den einzigen armen Trost, den ich ihm gewähren konnte, das tief gefühlteste Mitleid; und so erfuhr ich nach und nach, was mir bis jetzt ein Geheimniß geblieben war, die unseligste Verwickelung, in welche das Schicksal je zwei Wesen verstrickte, die nur geboren zu seyn schienen, um eines des andern Daseyn zu ergänzen."

Erschöpft sank der alte Maler mit diesen Worten in seinen Sessel zurück. „Ich habe meiner Kraft zu viel zugetraut," sprach er, „Erinnerung ist ein mächtiger Geist, dem man nicht so ohne Vorbehalt sich hingeben sollte; von ihm berührt, brechen alte Wunden wieder auf, längst versiegte Thränenquellen wogen wieder empor. Ich kann nicht weiter. Gräfin, Freunde, entlassen Sie mich für heute. Das Angefangene werde ich vollenden; ich muß es, von einem mir unerklärlichen Gefühl dazu getrieben, nur nicht in dieser mitternächtigen Stunde, in der Kraft und Muth mir gebricht."

Der Alte, von Lili sorgsam geleitet, verließ mit wankendem Schritte das Zimmer; ein ernster, zurückweisender Blick, hielt alle Uebrigen ab ihm zu folgen.

Cölestinens sehr ernstlich ausgesprochner Wunsch, versammelte schon am nächstfolgenden Tage, die nämliche Gesellschaft des vorigen Abends, wieder in ihrem Zimmer, das indessen für dieses Mal jedem andern Besuche verschlossen blieb. Graf Strahlenfels selbst war nicht zugegen, obgleich er sich von dem gestrigen Anfalle völlig wieder hergestellt fühlte; dringende, nicht aufzuschiebende Arbeiten mußten ihm zur Entschuldigung dienen. Auch Meister Hubert erschien zum ersten Mal ohne seine Genien; selbst Lili hatte ihn nicht begleiten dürfen, und dieses gab seiner Erscheinung etwas Ungewohntes. Uebrigens schien er seine ihm eigne Fassung völlig wieder erlangt zu haben, er nahm ohne Widerrede den Faden seiner Erzählung wieder auf, es war, als habe er sich gewissermaßen darauf vorbereitet, und man merkte es deutlich ihm an, wie er sich bemühe die Ausbrüche seines eignen Gefühls zu unterdrücken, und seinen Zuhörern ohne weitere Abschweifungen deutlich und verständlich zu werden.

„Marie," sprach er, „Marie hieß die Geliebte meines Viktors, und wohl verdiente sie es diesen Namen zu tragen, der uns den Inbegriff der allerholdseligsten Anmuth, der allerjungfräulichsten Reinheit, bezeichnend darstellt. Marie war das einzige Kind eines deutschen Freiherrn aus reichem altedlen Geschlecht, den ich hier aus gültigen Rücksichten, nur nach seinem Taufnamen Hermann nennen will, ohne seines wohlbekannten Familiennamens zu gedenken. Das Bedürfniß jugendlicher Herzen, das jeden Knaben antreibt, sich einen gleichgestimmten Gefährten zu suchen, hatte den jungen Baron schon auf der Schule mit einem jungen Kurländer auf das innigste verbunden; beide edle Jünglinge fanden einander späterhin auf der Universität wieder, und das freundliche Verhältniß, in welchem sie früher als Knaben zu einander gestanden, erstarkte nach und nach zu einem Freundschaftsbunde, der bestimmt schien, sie für ihr ganzes Leben beglückend zu vereinen.

Graf Amadée, so wollen wir den Kurländer ebenfalls nach seinem Taufnamen benennen, Graf Amadée war einem edeln polnischen Hause entsprossen; politische Gründe hatten indessen schon vor langen Jahren seinen Vater bestimmt, sich in Kurland niederzulassen; er war einige Jahre älter als Hermann, hatte seine, ohnehin nicht sehr ernstlichen Studien, früher beendet als dieser, und sah sich genöthigt seinen Freund auf der Universität zu verlassen, um der Heimath zuzueilen, wohin das plötzliche Absterben seines Vaters, und die Uebernahme weitläuftiger Besitzungen ihn berief. Nur Hermanns Versprechen, ihn in Kurland so bald als möglich zu besuchen, vermochte es, die beiden Freunde über diese Trennung zu trösten; doch Jahre vergingen, ehe es dem jungen Freiherrn möglich wurde, dieses Versprechen zu lösen; und als es endlich dazu kam, fand er seinen Freund schon in der Würde eines Hausvaters, an der Seite einer geliebten und liebenswürdigen Gemahlin. Ein wenige Monde altes Töchterchen, lächelte dem fremden Ankömmling vom Schooße der Mutter zu, ein rüstiger Knabe versuchte seine ersten Kräfte, um, an Stühlen und Wänden sich haltend, ihm entgegen zu taumeln. Hermann fand seinen völlig unveränderten Freund im seligsten Genusse häuslichen Glücks; seine Ankunft unter dessen gastlichem Dache schien dieses Glück noch erhöhen zu wollen; kein freundlicher Schutzgeist des Hauses winkte ihm, noch auf der Schwelle desselben wieder umzukehren, keine warnende Ahnung ergriff das Herz des Unseligen, der hier schuldlos den Grund zu eignem und Andrer Verderben legen mußte, auf viele kommende Zeiten.

Der Baron blieb Monate lang ein höchst willkommener Gast seines Freundes, und wurde bald von dem ganzen Hause wie ein geliebtes geehrtes Mitglied der Familie betrachtet; besonders waren beide Kinder, unerachtet ihrer zarten Jugend, ihm zugethan. Die kleine Anna streckte jauchzend ihre Händchen nach ihm aus, so wie sie ihn erblickte, und ruhte nicht eher bis er sie in seine Arme nahm, sie tanzen zu lassen. Engel, sagt man, halten Wache über die Kinder der Sterblichen, und ihre schützende Macht wird dem Menschen oft auf wundervolle Weise sichtbar, aber die arme kleine Anna hatte keinen solchen schützenden Engel; oder war sie vielleicht mit der Bestimmung geboren, nur kurze Zeit auf Erden zu athmen, um dann selbst? – Ach, ich suche vergebens nach Worten, um ein Verhängniß darzustellen, dessen bloße Möglichkeit jedes fühlende Gemüth mit Grauen erfüllen muß! Das Kind tanzte auf den Armen des Freundes seines Vaters, es jauchzte vor Lust. Vater und Mutter sahen lächelnd dem Spiele zu, immer höher und höher ward die Kleine bis hoch über das Haupt des Freundes gehoben – war es eine rasche Bewegung des sehr lebhaften Kindes? oder was war es sonst? es entglitt den Händen die es hielten, es fiel über Hermanns Haupt weg, die zarte Blume war geknickt, das kleine Leben erloschen – und, den Tod im Herzen, die Hölle in der Brust, entfloh der schuldlose Mörder und glaubte in brennenden Zügen das Kainszeichen auf seiner Stirn erglühen zu fühlen.

Jahre vergingen von nun an dem Unglückseligen, in tiefer, oft an Wahnsinn gränzender Schwermuth, keine Freude kam wieder in sein Herz. Die Beschreibung dieses traurigen Zustandes, die er von einem gemeinschaftlichen Bekannten erhielt, rührte tief das edle Gemüth seines von ihm so schuldlos und doch so grausam verletzten Freundes. Graf Amadée suchte zuerst sich dem Bedauernswerthen zu nähern, er schrieb ihm mehrere Male, um ihn über sein unverschuldetes Unglück zu trösten, und das Schroffe ihrer so schnell herbeigeführten furchtbaren Trennung zu mildern, die freilich kein fröhliches Wiedersehen jemals endigen konnte; und so kam es mit der Zeit dahin, daß beide Freunde wenigstens schriftlich wieder miteinander fortlebten. Obgleich sie fühlten, daß sie einander nie mehr in der Wirklichkeit nahen durften: so gewöhnten sie sich dennoch, alle Ereignisse des Lebens einander mitzutheilen. Ein eigner Unstern schien indessen, mit jenem grauenhaften Ereigniß, über dem Hause des Grafen Amadée aufgegangen zu seyn; von mehreren Söhnen und Töchtern, die ihm im Verlaufe der Jahre geboren wurden, blieb kein einziges seiner Kinder am Leben, alle starben bald nach der Geburt oder doch im ersten Lebensjahre, und die Nachricht von jedem dieser Todesfälle, verdoppelte jedes Mal wieder die schmerzliche, an Verzweiflung gränzende Reue seines unglücklichen Freundes. Zuletzt starb auch seine Gemahlin, und Graf Amadée behielt Niemand von den Seinen am Leben als den Knaben, der schon vor jenem unheilbringenden Besuche Hermanns geboren war, und dessen glückliches kräftiges Gedeihen zu den schönsten Hoffnungen zu berechtigen schien.

Mehr Familienrücksichten, als Hoffnung auf häusliches Glück, hatten indessen, nach einigen trübe verlebten Jahren, den Freiherrn bewogen sich ebenfalls zu vermählen: seine Wahl war dabei in jeder Hinsicht eine glückliche zu nennen; denn die Gemahlin, der sein Verstand mehr als sein Herz ihn zugeführt hatte, wurde durch treue Liebe und seltene Aufopferung, der Trost seines traurigen Lebens, das noch oft schwere Erinnerung des Vergangenen bedrückte.

Marie, meines Viktors Marie, war die Frucht dieser Ehe. Beim Eintritt in das Leben begrüßte ihr unglücklicher Vater sie unter einem Strom heißer Thränen, als den Friedens-Engel, von Gott ihm gesendet, um seinen noch immer innigst geliebten Freund, auf ewig und vollkommen zu versöhnen; er wagte es nie das Kind nur anzurühren; aber er betrachtete es, mit stiller Verehrung, als ein heiliges Pfand seiner künftigen Ruhe, als ein Zeichen, daß Gott ihm vergeben habe, was er schuldlos verbrochen. Er schrieb sogleich an seinen Freund, um dieses einzige geliebte Kind, dieses höchste Kleinod seines Lebens, ihm zum Ersatze für die geraubte Tochter anzubieten, indem er dem einzigen Sohne des Grafen zur künftigen Gemahlin es bestimmte. Der Gedanke, den unwillkührlich begangenen Mord auf diese Weise zu sühnen, bemächtigte sich ganz seiner Seele; Tag und Nacht trug er ihn mit sich herum, und so bildete er sich nach und nach zur fixen Idee in seinem Innern aus. Jeder Wiederspruch, jede Anspielung auf die Möglichkeit diesen Plan scheitern zu sehen, drohte den Unglücklichen unaufhaltsam dem Wahnsinne zuzutreiben.

Mit unsäglicher Angst übersah Hermanns sanfte liebende Gattin, den traurigen Gemüthszustand ihres Gemahls, und das Furchtbare der Gefahr die ihm drohte. Um diese abzuwenden, schrieb sie selbst an den, als einen edeln Menschen ihr bekannten Grafen Amadée. Sie bat diesen flehentlich, in den Plan des unglücklichen Hermann einzugehen, um ihn dadurch vor dem gräßlichsten Untergange aller Seelenkräfte zu bewahren; und der treue Freund ihres Gatten erfüllte auf die allerberuhigendste Weise ihre Bitte. Er gab nicht nur feierlich und förmlich seine schriftliche Einwilligung, zu der einstigen Verbindung der beiden Kinder, und versicherte seinen Freund, daß er die ihm neu geschenkte Tochter mit Freuden zum Ersatz für die längst Verlorne annähme, er sandte auch einige Jahre später seinen Sohn nach Deutschland, auf die nämliche Schule, auf der er selbst einst den Grund zu seiner eigenen geistigen Bildung gelegt hatte, und befahl diesem auf dem Weg dorthin, bei dem Freiherrn vorzusprechen, und seine kleine Braut zu besuchen.

Der Eindruck, den der Anblick des jungen Grafen Stanislaus auf den unglücklichen Freiherrn machte, läßt sich nicht beschreiben. Er sah in dem blühenden Kinde das rührende Ebenbild von dessen Vater, wie dieser gewesen war, als er hoffnungsvoll und freudig die Bahn des Lebens mit ihm betrat, und der Gedanke, wie ganz anders Alles seitdem gekommen sey, steigerte seinen Schmerz zu Ausbrüchen der wildesten Verzweiflung. Mariens weinende Mutter verbarg dem erschrocknen Knaben nicht, daß es allein in seiner Macht stände hier Trost und Beruhigung zu gewähren; Marie selbst, ein kleiner lächelnder Engel, streckte bittend die Händchen nach ihm aus, weil sie zu sehen glaubte, daß die Mutter etwas von ihm verlange, was sie freilich nicht verstand, und der tief erschütterte, bis ins innerste seines Herzens gerührte Stanislaus, konnte einer solchen Scene nicht wiederstehen. Mit einem Ernste, wie man ihn kaum von seinem Alter hätte erwarten können, ergriff er die Hand der kaum vierjährigen Marie, und gelobte feierlich das von seinem Vater für ihn geleistete Versprechen zu erfüllen, und sie einst als seine Braut heimzuführen. Trost und Friede kehrten in dem Augenblick in Hermanns Seele ein, und der junge Graf verließ bald darauf das Haus, begleitet von den Segenswünschen der unglücklichen Aeltern seiner kleinen Braut, und mit dem festen Entschluße, dereinst das eben abgelegte Gelübde redlich zu halten.

Während der junge Graf Stanislaus zuerst auf der Schule, dann auf der Universität, seiner geistigen Bildung mit Ernst oblag, wuchs die kleine Marie, in steter Erinnerung an die Unabänderlichkeit ihrer Zukunft, heran. So bald sie nur im Stande war es zu fassen, unterrichtete ihre Mutter sie von der Ursache der trüben schwermüthigen Stimmung ihres Vaters, welche diesen nie ganz verließ. Sie ermahnte sie, sich selbst als Sühnopfer des unwillkürlichen Verbrechens desselben zu betrachten, und mit der Ergebung sich in ihr Schicksal zu finden, in der die Dulderin selbst als glorreiches Beispiel ihr voranging. Sie schilderte diese Ergebung ihr als das allgemeine Loos ihres Geschlechtes, dem die Edlern desselben sich freudig unterwerfen, weil sie gewiß sind, in dem Bewußtseyn der Erfüllung ihrer Pflichten dereinst den reichsten Lohn dafür zu finden.

Unter der treuen Pflege ihrer Mutter entwickelte die kleine Marie sich von Jahr zu Jahr immer mehr und mehr, und ward ein Engel an Schönheit wie an Gemüth. Sie blieb das einzige Kind ihrer Aeltern. Das Unabänderliche ihrer Lage, verlor gerade durch die Unabänderlichkeit desselben, für sie alles Drückende; denn nie konnte der Gedanke in ihr aufkommen, daß alles anders seyn könne als es war: aber es legte dennoch in ihre junge Seele den Grund zu einer Tiefe des Empfindens, zu einer dumpfen, leidenschaftlichen Sehnsucht nach Jugendfreiheit und Jugendglück, die sie fühlte, ohne sich klar ihrer bewußt zu werden.

Noch hatte Marie ihr dreizehntes Jahr nicht völlig zurückgelegt, als ihre edle Mutter den Aufopferungen aller Art, die ihr ganzes Daseyn bezeichnet hatten, endlich erlag. Sie erkrankte, und fühlte ihr Leben unaufhaltbar dahinschwinden. Ruhig, freudig sogar, sah sie ihrer eignen Auflösung von irdischen Banden entgegen; aber banges Grauen ergriff sie, wenn sie der Zukunft ihrer Geliebten gedachte, die sie in der Welt zurücklassen mußte. Sie sah nur einen Ausweg, den unglücklichen Hermann nach ihrem Hinscheiden dem Ausbruche völligen Wahnsinns, und ihr geliebtes Kind dem Elend zu entziehen, das dann in der fürchterlichsten Gestalt auf dasselbe eindringen würde. Sie ergriff diesen, indem sie einen Eilboten an den jungen Grafen Stanislaus abschickte, um denselben an ihr Sterbelager zu berufen.

Viel früher als man es hätte erwarten dürfen, stand der Jüngling hoch und ernst, still und mild, an dem Bette der Sterbenden, ähnlich dem Engel, der nun bald sie herüber führen sollte in ein besseres Land. Die Mutter erschrak über den Anblick des früh zum Manne gereiften, obgleich kaum zwanzig Jahre alten Bräutigams ihrer Tochter, der in ganz andrer Gestalt ihrer Erinnerung vorgeschwebt hatte. Bange Sorge ergriff ihr Herz, wenn sie von ihm auf Marien blickte, die, im Aeußern völlig noch ein Kind, weinend neben ihr kniete. Mühsam bereitete sie sich, alle die rührenden Bitten und Vorstellungen auszusprechen, die sie in dunkeln schmerzvollen Nächten sich ersonnen hatte, um den kalten, ernsten jungen Mann, der vor ihr stand, zur Erfüllung ihres letzten Wunsches auf Erden zu bewegen. Doch es bedurfte deren nicht. Der junge Graf war eine jener stolzen, strengen, festen Naturen, die weder sich noch Andern jemals die kleinste Abweichung von Wort und Pflicht zu vergeben wissen. Er erbot sich von selbst, gleich in der nämlichen Stunde, am Sterbelager der Mutter, durch den Segen der Kirche der jungen Braut sich unauflöslich zu verbinden. Die Trauung wurde zur Stelle vollzogen, und die Mutter entschlief wenige Stunden später, in dem tröstlichen Bewußtseyn, die Zukunft ihres einzigen Kindes, die Erhaltung ihres geliebten Gatten, allen menschlichen Ansichten nach gesichert zu haben.

Die große Jugend der Braut erforderte noch eine mehrjährige Trennung des neu vermählten Paares, und der junge Graf verließ, gleich nach dem Hinscheiden der Mutter, das Haus der Trauer, um nach Kurland zu seinem Vater zu eilen, der gerade in dieser Zeit ihn auf das dringendste zu sich berufen hatte. Die selbst durch den Schmerz noch erhöhte Schönheit des jungen Kindes, dem er nun auf immer verbunden war, hatte nicht verfehlt einen tiefen Eindruck auf ihn zu machen; er gedachte Mariens zwar nicht mit Liebe, aber mit inniger Theilnahme; und er gelobte sich selbst, das junge verlassene Wesen, das auf so wunderbare Weise an ihn gewiesen, und seiner schützenden Vorsorge übergeben worden war, im Laufe der kommenden Zeit, so viel an ihm lag, zu beglücken.

Graf Amadée mißbilligte nicht den raschen Schritt, den

sein Sohn zur Erhaltung seines alten Freundes gewagt hatte. Ein tröstender Brief von ihm an Mariens Vater, sicherte diesem nicht nur die vollkommenste Versöhnung zu, sondern auch völliges Vergessen jenes unseligen Zufalles, der Beide so lange getrennt. Er zeigte ihm sogar in der Ferne die Hoffnung eines möglichen Wiedersehens, indem Graf Amadée verhieß, seinen Sohn selbst zu begleiten, wenn dieser nach einigen Jahren seine junge Gemahlin abzuholen kommen würde, und gab dadurch dem unglücklichen Freiherrn den Frieden des Gemüthes, die Klarheit des Geistes fast völlig wieder zurück, die dieser so lange Jahre entbehrt hatte.

Doch der wild wogende Strom des Lebens ergriff bald darauf sowohl den Grafen Amadée, als dessen Sohn, und führte Beide für den Augenblick weit weg von jeder Aussicht auf den Hafen häuslichen Glückes, dem sie so nahe sich geglaubt hatten. Ich habe schon früher erwähnt, daß Amadée einem der edelsten Geschlechter des unglücklichen Königreichs Polen angehörte; schon sein Vater hatte das heiß geliebte Vaterland mit ihm verlassen, um nicht dessen völligem Untergang zusehen zu müssen; doch Amadée hing noch immer an dem Lande, in welchem jeder frei geborne Edelmann in seinem Herzen sich ein König fühlte, und er hatte auch seinen Sohn Stanislaus in der Liebe zu demselben erzogen. In Kosciusko's, anfangs von einem wunderbaren Glücksstern begünstigtem Beginnen, schien dem Grafen Amadée eine neue Morgenröthe für sein tief gesunkenes Vaterland aufdämmern zu wollen; und so ließ er denn auch sich und seinen Sohn in das lange wankende Geschick dieses, vom reinsten Enthusiasmus beseelten Helden, so tief verflechten, daß Beide darüber jede Anordnung der eignen Angelegenheiten eine Zeitlang aus den Augen verloren, bis endlich der letzte entscheidende Schlag gefallen war.

Die Ruhe eines Kirchhofes, lastete jetzt schwer über dem

unglücklichen Lande Polen, und seinen tapfern Vertheidigern. Graf Amadée hatte indessen mit großer Weltklugheit, und mit vielleicht noch größerm Glücke, für diesen schlimmen Fall seine und seines Sohnes Stellung in der Welt sich zu sichern gewußt; seine großen Besitzungen in Kurland waren ihm unangetastet geblieben: doch nun forderte die Lage der Dinge, daß Stanislaus endlich seine diplomatische Laufbahn im Dienste seines Kaisers antrete, zu der sein Vater ihn erzogen, und die er wegen der letzten Ereignisse nur zu lange versäumt hatte.

Große Reisen in weit entfernte Länder, waren die Folge der Anstellung, die Graf Stanislaus sehr bald erhielt; sie nahmen Jahre seines Lebens hinweg, ohne daß sich ihm die Möglichkeit zeigte, seine, seit dem traurigen Vermählungstage nicht wiedergesehene Gemahlin heimzuholen. Graf Amadée starb, während sein Sohn abwesend war; es währte lange, ehe dieser die Erlaubniß erhielt heimzukehren, um die ihm jetzt zugefallenen Güter in Besitz zu nehmen; er fand zu Hause viele Unordnung zu beseitigen, manchen verdrießlichen Prozeß auszufechten; und als er mit diesem Allen kaum zur Hälfte fertig war, wurde er von Neuem auf das eiligste, bis nahe an die äußerste Gränze des südlichen Europa's versendet.

In all' dieser Zeit, mitten im Taumel des bewegtesten Lebens, vergaß der Graf Mariens nicht; er liebte ihr Andenken, wie man eines schönen, poetischen Traumes sich gern erinnert; aber es war doch in seiner Lage verzeihlich, daß er ohne heftige Ungeduld es ertrug, den Zeitpunkt seiner wirklichen Vereinigung mit der nur als ein schönes, liebliches, noch völlig unentwickeltes Kind Gekannten, immer weiter hinaus geschoben zu sehen, und daß er ohne Wiederstreben dem Strome der Zeiten sich hingab. Er fühlte sogar zuweilen eine Anwandelung bänglicher Scheu, wenn er des Tages gedachte, der die ihm völlig unbekannte Gefährtin seines Lebens ihm zuführen werde, an die er, damals selbst noch ein Kind, in einem Anfalle jugendlicher Schwärmerei sich unauflöslich gebunden hatte. Doch konnte er in andern ruhigern Stunden auch zuweilen gern den Träumen eines möglichen Glückes in der Verbindung mit ihr, sich überlassen. Zuweilen beunruhigten ihn aber auch andre Sorgen. Er hatte leider zu viel von der Welt gesehen, als daß er von jeder Neigung zum Argwohn sich gänzlich rein hätte halten können; das große Leben in ihr, dem er sich hingeben mußte, hatte von seinem Innern die zarten Blüthen der Jugend längst abgestreift, und der ihm angeborne Ernst des Gemüthes, war durch vieles, was er hatte erleben müssen, beinahe in Düsterheit und nachsichtslose Strenge ausgeartet. Sich selbst hatte er nie die kleinste Abweichung von der Bahn des Rechtes zu vergeben gehabt; aber er fühlte sich auch wenig geneigt, gegen Andere Zeit und Umstände berücksichtigend, sich milder zu beweisen.

Marie verlebte indessen an der Seite ihres weit heiterer gewordenen Vaters, ziemlich ruhige Tage; sie war in unaussprechlich rührender Schönheit und Anmuth zur Jungfrau erblüht, während Stanislaus unter manichfacher Gestalt mit dem Leben zu kämpfen gehabt hatte. Aber auch sie zitterte mit namenloser Angst dem Augenblicke entgegen, der dem ihr ganz unbekannten Gemahl sie übergeben sollte. Die Briefe, welche er in regelmäßigen Zwischenräumen ihr sandte, konnten wenig dazu beitragen, ihr ihn von der liebenswürdigen Seite zu zeigen. Graf Stanislaus verabscheute Alles, was nur von Ferne an das Unwahre gränzte, und vermochte deßhalb nicht, Marien eine Liebe zu heucheln, die er für sie noch nicht empfand. Nur das strengste Pflichtgefühl hatte ihn ihr verbunden, und dieses allein, neben dem ihm eignen Ernst, sprach auch nur aus seinen Briefen an Marien, die er obendrein in meistens trüben Zuständen geschrieben hatte, und die deßhalb auch deutliche Spuren seiner verdüsterten Stimmung an sich trugen.

So gewöhnte sich denn die arme Marie, sich ihren Gemahl nur als einen finstern Tyrannen zu denken, dem sie zum Sühnopfer für ihren unglücklichen Vater übergeben sey, um in einem fernen kalten Lande ihr ganzes Leben, ungeliebt, unverstanden, vielleicht sogar unbeachtet, an seiner Seite zu vertrauern. Das von der Mutter auf sie vererbte Gefühl für Pflicht hielt, bei dieser Ansicht ihrer Zukunft sie zwar aufrecht, aber es konnte sie doch nicht davor bewahren, das Traurige ihres von dem ihrer Gespielinnen durchaus abweichenden Looses, mit tiefem Schmerze zu fühlen. Gleich allen jugendlichen Gemüthern, fand Marie eine eigne wehmüthige Lust darin, sich ohne Widerstand diesem Schmerze hinzugeben, und sogar ihr an sich dunkles Geschick in immer dunkleren Farben sich vorzustellen. Ihr weiches zur Liebe geschaffnes Herz, ließ sie mit jedem Tage deutlicher empfinden, daß all' ihr Glück auf Erden einzig auf Liebe sich gründen könne, auf Liebe, die sie nie suchen, der sie entfliehen müsse, wo sie auch in Zukunft ihr begegne.

Die einzige Aussicht, die ihre trübe Zukunft ihr erheitern konnte, blieb die Gewißheit, ihren Vater durch die Wiedervereinigung mit seinem Freunde ganz zu beglücken; doch das Geschick versagte ihr zuletzt auch diese einzige Entschädigung für ihr geopfertes Herz; ihr Vater starb plötzlich, fast gleichzeitig mit dem Vater ihres Gemahls, dem Grafen Amadée, doch ehe noch die Nachricht von dessen Tode ihn erreicht hatte.

So war denn die Frucht der Pflichtübung, der sie ihr Leben geweiht hatte, für Marien gänzlich verloren. Ihr Vater hatte dem Gemahl sie nicht wirklich vereinigt, den Freund seiner Jugend nicht versöhnt wieder gesehen. Zwiefacher Schmerz zerriß an seinem Sarge das Herz der nun ganz Verwaiseten; sie wünschte sich mit ihm herabzusteigen in die dunkle lautlose Tiefe, in das düstre Reich der Ruhe und des Vergessens.

Marie fand für den ersten Augenblick, in dem Hause ihres Vormundes eine anständige Zuflucht, bis ihr Gemahl über ihre fernere Zukunft bestimmen würde. Gram und bange Sorge hatten ihre Gesundheit untergraben, unaufhörliche innere Aufregung ihr Nervensystem bis zur höchsten Reizbarkeit verfeinert, und die Aerzte fanden für nöthig, die stärkende Bergluft in der, ihrem Wohnorte nahe liegenden Schweiz, und eine Molkenkur in dem köstlichen Thale von Interlacken ihr zu verordnen.

Marie schrieb an ihren Gemahl um die Erlaubniß zu dieser Reise, und er gewährte sie ihr nicht nur willig und freundlich, sondern bat sie zugleich, nach Vollendung ihrer Kur ihn in Genf zu erwarten, wo er mit ihr zusammentreffen wolle, um sie dann nach seinem Wohnorte zu führen. Er meldete ihr, daß er, des Herumziehens müde, seinen Abschied gefordert habe, um künftig auf seinen Gütern mit ihr zu leben. Eine bedeutende Summe Geldes war zum erstenmale diesem Briefe beigefügt, die er bat, für die Anstalten zu ihrer Reise zu verwenden. Bei allem Ernste seines Gemüthes war Graf Stanislaus dennoch nicht frei von dem, seiner Nation eignen Hang zu fast orientalischer Pracht, die sich besonders in einer sehr zahlreichen Dienerschaft zu gefallen pflegte. Da er voraus setzen konnte, daß Marie in ihrem bisherigen einfachen Leben, mit solchen glänzenden Einrichtungen unbekannt geblieben sey, so schrieb er ihr sogar die Zahl der Diener und Kammerfrauen vor, die sie mit sich nehmen solle, und legte als die erste Bitte, die er gegen sie ausspreche, es ihr an das Herz, bei ihrem Eintritt in die Welt auf eine der Gemahlin des Grafen Stanislaus Czaratowsky würdige Weise – – –"

„Stanislaus Czaratowsky!" wiederholte eine bebende Herzdurchdringende Stimme. Cölestine hatte den Namen nachgesprochen, und saß jetzt da in Thränen zerfließend, mit verhülltem Gesicht.

Tief erschüttert stand der Maler auf und trat vor Cölestinen hin. „O mein ahnendes Herz!" sprach er mit erstickter Stimme, „mußte ich abermals dich nicht verstehen, mußte ich gerade hier so tief verletzen? Gräfin," setzte er bittend hinzu, und versuchte schonend, ihre Hand mit dem Tuche das ihr Gesicht verhüllte, wegzuziehen, „Gräfin, Sie sind? – ja das war es, was mir immer bei Ihrem Anblicke dunkel vorschwebte; o wie konnten Sie das Ihrem alten Freunde thun!"

Cölestine nahm das Tuch von ihrem Gesichte, und lächelte wehmüthig unter Thränen den Maler an. „Glauben Sie mir, lieber Meister! Hier wohnt kein Falsch," sprach sie, die Hand auf dem Herzen. „Nur nach und nach haben Sie, indem Sie erzählten, den Schleier mir gelüftet, der, Grabestüchern ähnlich, mir über die Vergangenheit sich gebreitet hatte; ich habe lange Ihnen zugehört ehe ich ganz Sie verstand."

In der heftigen Bewegung, in der er sich befand, hatte der Alte die schöne Frau mit beiden Armen umfaßt; aber er hielt sie fern von sich ab. Seine ganze Seele lag in seinen Blicken, indem er forschend sie betrachtete; was sie sprach, ging fast unbeachtet an ihm vorüber.

„O mein Gott! mein Gott! wie war es denn nur möglich," flüsterte er leise vor sich hin, „wo hatte ich denn meine Augen? Welcher Zauber deckte mir diese, daß nur mein Herz die liebliche Erscheinung erkannte?"

Cölestine hatte indessen Fassung sich errungen. Mit sanfter Gewalt entzog sie sich den Armen des Alten, und wandte sich mit freundlicher Würde dem Kreise der Anwesenden zu, der in stummem Erstaunen die Beiden umringte.

„Der Zufall," sprach sie, „spielte heute großes Spiel mit

mir, indem er durch den Mund dieses Freundes mir entdeckt, wornach ich Jahre lang umsonst mit Sorge und Kummer gesucht habe. Ich bitte Sie Alle, für jetzt nicht in ein Geheimniß eindringen zu wollen, dessen Daseyn Ihnen nicht entgangen seyn kann, das aber von so wunderbarer zarter Art ist, daß ein unberufener Eingriff leicht ein nicht wieder zu milderndes Unheil anrichten könnte. Und nun, mein lieber, würdiger Meister, vollenden Sie, ich bitte, was Sie begonnen. Fahren Sie fort, die Geschichte Ihres unglücklichen Freundes uns mitzutheilen, mit Treue und Wahrheit, ohne andre Rücksichten. Ich bin gefaßt auf Alles was ich ferner noch vernehmen könnte."

Angeregt durch Cölestinens Beispiel, hatte indessen auch der Alte über sein tief erschüttertes Gefühl wieder die Oberhand gewonnen. „Mein altes thörichtes Herz hat mir abermals einen seiner gewohnten Streiche gespielt," sprach er, indem er mit sichtbarer Anstrengung sich zu fassen suchte. „Meine schöne Freundin und ich, wir alle Beide haben uns wohl zu viel Kraft zugetraut; doch ein schwacher Augenblick droht auch dem festesten Sinn. Jetzt will ich nur suchen, muthig zu Ende zu bringen, was ich vielleicht im Uebermuthe begonnen; zuletzt wird dieses Ende dennoch der Gräfin Cölestine und uns Allen Beruhigung gewähren, die wir es fühlen und wissen, daß es noch ein höheres Gut gibt als das Leben.

Marie," fuhr Meister Hubert jetzt in seiner Erzählung fort, „Marie reiste also unter dem Schutze der Frau ihres Vormundes nach der Schweiz, begleitet von dem ganzen ihr eigentlich sehr lästigen Gefolge, das ihr Gemahl ihr aufgedrungen hatte. Der Aufenthalt in Interlacken zeigte für ihre Gesundheit die erwünschtesten Folgen; im Aeußern blühend gleich einer jungen Rose, im Herzen das quälendste Vorempfinden der unausweichbaren Entscheidung ihres Geschickes, begab sie sich zu der ihr bestimmten Zeit nach Genf. Sie fand ihren Gemahl nicht dort, wie sie es doch erwartet hatte; ein Brief von ihm benachrichtigte sie, daß unvorhergesehene Ereignisse seine Ankunft um einige Tage, vielleicht um einige Wochen verzögern würden. Des Grafen Sekretär übergab ihr dieses Schreiben, eben jene lange, hagre widerwärtige Figur, die ich früher Ihnen beschrieben habe, und der unangenehme Anblick dieses Menschen machte sie schaudern, als eine böse Vorbedeutung, die ihr im Voraus Alles bestätigte, was sie von seinem Gebieter mit Furcht und innerem Grauen erwartete.

Die Tage ihrer Freiheit schienen der armen Marie jetzt gezählt. Noch einmal wünschte sie, alles Zwanges baar, sich der schönen Erde zu erfreuen, noch diese kurze Frist zu genießen, ehe sie für immer gefangen sich gäbe. Das Thal von Chamouny lag ihr nahe; nach allen Beschreibungen, die sie davon gehört und gelesen, schwebte es in einem entzückenden Bilde vor ihrer Fantasie, es lockte sie mit unwiderstehlicher Gewalt, und so beschloß sie denn, während der Graf noch ausblieb, die kleine Reise dorthin zu unternehmen, doch um ihrem Gemahl sich folgsam zu beweisen, in Begleitung ihrer ganzen Dienerschaft. Nur die Gattin ihres Vormundes blieb in Genf, zurückgehalten von unüberwindlicher Furcht vor dem bösen Wege, der ihr als höchst gefährlich beschrieben worden war.

Wie Viktor und Marie in Chamouny einander fanden, wissen Sie. Beide fühlten in der ersten Stunde, daß sie zu einander gehörten; und wer möchte es versuchen wollen, die Pein, das Entzücken jener zwei schmerzlich schönen Tage auszusprechen, die sie, abgeschieden von jeder Begränzung des Erdenlebens, wie die seligen Götter dort mit einander verlebten! Marie hatte zu oft, zu viel über das Glück liebend geliebt zu werden, gedacht, um über das sich zu täuschen, was sie für den Einzigen empfand, der an Schönheit, Anmuth und Reinheit des Herzens ihr gleich kam. Sie wußte, daß sie ihn liebte, sie wußte aber auch, daß er von diesem Augenblicke an ihrer nie wieder vergessen könne. Unbegränztes Vertrauen bemächtigte sich Beider schon in den ersten Stunden ihres Beisammenseyns, und dennoch dachte keines von ihnen daran, dem Andern von seiner eignen Stellung im Leben Rechenschaft ablegen zu wollen; geblendet von dem Glanz eines Daseyns, das Beiden zur gleichen Stunde aufgegangen war, hatten sie alles Uebrige vergessen. Gewiß konnte der Gedanke, meinen Freund irre führen zu wollen, in Mariens reiner Seele nicht entstehen, doch in der unermeßlichen Seligkeit und Qual dieses Findens, um wieder zu verlieren, ging für den Augenblick ihre ganze Vergangenheit ihr unter. Mariens Jugend, ihr ganzes Aeußere eignete sich keineswegs dazu sie für schon vermählt halten zu können; der Glanz ihrer Umgebungen, der vielleicht allein eine Muthmaßung dieser Art erregt hätte, wurde von meinem Viktor über ihre eigene blendende Erscheinung völlig übersehen, oder doch, wenn er anfangs ihn bemerkt haben sollte, völlig wieder vergessen. Sie sahen Beide nur sich und nichts außerdem; was sie für einander empfanden, sprachen sie weder aus, noch suchten sie es zu verbergen; in der vollkommensten Uebereinstimmung ihrer Gemüther verstanden sie einander, wie die seligen Geister im Himmel einander verstehen mögen, ohne des armen Erdbehelfs der Worte zu bedürfen; verstand ich doch oft selbst meinen Freund ganz auf die nämliche Weise.

Erst als Marie an jenem Morgen auf dem Spaziergange, vom bangen Vorgefühle der nahen Trennung dazu getrieben, die ganze unselige Verflechtung ihres eigenen Geschickes ihm entdeckte, erst dann sah Viktor schaudernd den Abgrund unter seinen Füßen sich öffnen, der vernichtend seinem

Lebensglücke drohte. Sich von Liebesbanden losreißen zu wollen, die mit dem innersten Leben seines Lebens sich verzweigt hatten, vermochte er nicht mehr; all sein Hoffen beruhte jetzt einzig nur auf die wenigen Tage, die Marie sich und ihm noch zum Glücklichseyn vergönnt glaubte; jede Minute der Stunden, die er noch an ihrer Seite zu verleben hoffte, war ihm ein Lichtpunkt, glänzend genug, um eine darauf folgende lange dunkle Lebensnacht zu erhellen. Doch auch diese arme kleine Hoffnung wurde zerstört. Marie erkannte bei ihrer Zurückkunft nach dem Gasthofe schon von ferne den Sekretair ihres Gemahls; dieser brachte ihr die Nachricht, daß der Graf innerhalb zweier Tage bestimmt in Genf eintreffen werde; ihr Herz wollte brechen, aber sie fühlte, daß ihre Pflicht sie sogleich nach Genf zurück berufe – und Glück und Leben schieden sich ihr für immer von einander.

Nach seiner zweiten Reise nach Chamouny, wohin eine dumpfe Ahnung eines möglichen Wiedersehens ihn verlockt hatte, blieb Viktor wieder einige Zeit bei mir, doch Ruhe und Frieden waren von uns gewichen. Bange Sorge um Mariens Geschick marterte meinen beklagenswerthen Freund Tag und Nacht; mit tiefgefühltem Schmerze mußte ich es ansehen, wie seine Jugendblüthe an meiner Seite dahin welkte, wie sein schönes Haupt immer tiefer sich neigte, gleich dem Gipfel einer jungen Palme, den der Sirokko versengte. Gaetana hatte sich wieder zu uns gefunden, sie umschwebte meinen trüben Freund, wie das Gespenst eines Todten den Ort umschwebt, wo er im Leben seine Schätze bewahrte. Viktors kalter fester Ernst bannte endlich die einst so liebliche, jetzt so unheimliche Erscheinung, er wollte sie ferner unterstützen, doch er wollte nicht ferner sie sehen; in seinem tiefen Grame hätte er am liebsten, sogar dem Lichte des Tages sich entzogen; doch die stolze Römerin verschmähte jetzt alles, was er ihr bot. Noth und Mangel, verbunden mit dem quälenden Zureden ihrer Mutter, bewog sie endlich einem alten reichen Manne ihres Standes die Hand zu geben, mit dem sie von Rom bald darauf wegzog.

Nach einigen Monaten verließ auch mein Freund mich zum zweiten Male, und abermals heimlich. Ich glaubte ihn anfangs auf einer der kleinen Excursionen begriffen, die er oftmals unternahm, wenn der Geist des Unmuthes zu schwer auf ihm ruhte, und von denen er immer nach einigen Tagen wieder zurück zu kehren pflegte; doch dieses Mal blieb er länger aus, und erst spät erhielt ich einen Brief von ihm, weit jenseits der Alpen geschrieben.

Viktor meldete mir, er sey ohne Abschied gegangen, weil er mein Einreden gefürchtet habe. ‚Ich habe Muth, ein trübes Leben ohne Glück zu tragen,‘ dieses ungefähr waren seine Worte, ‚für mich mache ich keine Ansprüche mehr, doch der Gedanke, daß Marie den Schmerz des Geschiedenseyns mit mir theilt, vielleicht unter Umständen, wo sie ihm endlich erliegen muß, dieser Gedanke ist mir so peinigend, daß ich nicht länger ausdauern kann ohne sie zu sehen, ohne mich zu überzeugen, sie lebe wirklich noch. Ob ich ihr nahen, ob ich auch nur aus der Ferne mich ihr zeigen werde? weiß ich noch nicht. Sollte sie in ihrer jetzigen Lage sich glücklich fühlen, so bleibe ihr Glück durch mich ungestört; leider kann sie es nur seyn, indem sie meiner nicht mehr gedenkt; ich werde ihr Glück ehren, sie segnen, und dann, dieses hoffe ich von Gott, und dann sterben. Um dieses zu können, bedarf ich weder Klage, noch Mitleid, noch Trost, den Andre mir gewähren können, und darum gehe ich meinen dunkeln Weg allein.‘

Der scharfe fremde Ton dieser Worte verletzte mich tief, und steigerte meine Sorge um den Geliebten. Ueberdieß hatten die in Italien sich mehrenden Unruhen schon längst angefangen, mir den dortigen Aufenthalt mannichfaltig zu verleiden; nur die Schönheit des heitern, klaren Himmels, und das Band vieljähriger Gewohnheit hatten bis jetzt mich gefesselt gehalten. Jetzt aber war mit meinem Freunde meine eigentliche Sonne von mir gewichen, darum verkaufte ich sogleich mehrere meiner Bilder, und das mit gutem Glück, und rüstete mich ohne weiteres Bedenken zur Reise nach dem mir sonst so verhaßten Norden; denn mit dieser Sorgenlast auf dem Herzen hätte ich ja im Himmel selbst keine Ruhe finden mögen.

Ich suchte auf dem geradesten Wege nach Mietau zu gelangen, denn Viktor hatte mich angewiesen, die Antwort auf seinen Brief dorthin zu senden. Ich beschloß diese ihm selbst zu bringen, ihn nicht vorher von meiner Ankunft zu unterrichten, damit der Flüchtling mir nicht abermals entfliehen könnte.

Tausend Plagen und Beschwerden, von denen ich nie einen Begriff gehabt hatte, drängten auf der Reise sich mir entgegen; mein alternder Körper erlag beinahe der Strenge des ungewohnten Klima: nur die gränzenlose Liebe zu meinem Viktor konnte ihn aufrecht halten. In dem schönen Lande, das ich verlassen hatte, dehnte bei meiner Abreise schon der Frühling gleich einem erwachenden Kinde die rosigen Glieder, Blumen öffneten nach kurzem Schlummer die träumerischen Augen. Ganz anders war es da, wohin ich jetzt gelangte. Hier starrte die verarmte Natur noch in harten eisigen Fesseln, und die Sonne vermochte nur schwach und glanzberaubt das graue Nebelgewölke zu durchdringen. Zu meinem Trost erhielt ich unterwegs oft Kunde von meinem Viktor; denn eine Erscheinung, wie die seine, konnte so leicht nirgend unbeachtet vorüber gleiten, und so hatte ich doch wenigstens die Gewißheit, mich auf dem rechten Wege zu ihm zu befinden.

Endlich war das Ziel erreicht. Schon wich die Dämmerung

der Nacht, als ich äußerlich halb erstarrt, innerlich glühend vor Erwartung, mich nahe vor dem Thore von Mietau befand. In einer kleinen Entfernung von der Stadt zeigte sich mir ein nie zuvor gesehenes Schauspiel, das ich mir anfangs gar nicht zu erklären wußte; ein unabsehbarer langer Streif röthlicher Lichter bewegte sich seitwärts, pfeilschnell lief er über die weite Schneefläche hin, der Stadt zu. Er kam näher, ein seltsames Tönen, ähnlich dem abendlichen Schwirren der Cikaden in meinem Italien, drang durch die scharfe dünne Luft zu meinem Ohr, melodische Klänge andrer Art, vereinigten sich mit jenem Geklingel zu geisterartigen Accorden; ich staunte und horchte mit gespannter Aufmerksamkeit; endlich kam die Erscheinung ganz nahe, und ich sah mit Bewunderung die Pracht eines mir fremden nordischen Festes, einer unübersehbar langen Schlittenfahrt. Die schönen, mit silbernen Schellen geschmückten Pferde, die Menge der in reichen Livreen schimmernden Vorreiter, der Lichtstrom der zahllosen Fackeln, die Musikchöre, die durch den ganzen Zug hin vertheilt waren, Alles dieses zusammen gab ein Bild wilder, ich möchte sagen, bacchantischer Freude, dessen fremdartiges Leben mich unwiederstehlich ergriff und begeisterte.

Gern folgte ich am Thore dem Anrufe still zu halten, und den Prachtzug an mir vorüber zu lassen, der jetzt in die Stadt einziehen wollte. Ein freundlicher Bürger, der sich zu mir gesellte, sagte mir, ich würde in dem ersten der Schlitten den Geber des Festes, den neuen Gouverneur von Mietau erblikken. Jetzt rauschte der Zug an mir vorüber, erst Reiter, Fackelträger, Musikchöre, dann die leichten Schlitten in ihrer blendenden Umgebung, mit Pelzdecken, schimmernd von Sammet, Gold und Stickereien. Hoch wogten die Federbüsche, der auf ihren Schmuck und ihr Geläute stolzen Renner, laut tönte das Jubeln, die Silberglöckchen, das Peitschengeknall, es war als zöge die wilde Jagd an mir vorbei, alle meine Sinne waren bis zur Betäubung angeregt, mein Auge suchte vergebens durch die dichten Schleier, die prächtigen Pelze, die Gestalten der schönen Frauen zu errathen, die hier, wie in einem Triumpfzuge, an mir vorüber glitten. Ihre hinter ihnen befindlichen Führer waren schon knapper gekleidet, und ich erkannte im ersten Schlitten, zu meiner großen Freude, in dem Gouverneur einen mir wohlbekannten, vornehmen Russen. Er hatte vor einigen Jahren sich in Rom aufgehalten, ich durfte hoffen von ihm wohl aufgenommen zu werden, und durch ihn Nachricht von dem Aufenthalte meines Freundes zu erhalten.

Immer dichter und dichter rauschte und wogte jetzt das lustige, glänzende Getümmel, Schlitten drängten sich an Schlitten, bis endlich der letzte derselben sich zeigte. Ich faßte ihn schon von fern schärfer ins Auge, weil er der letzte war. – Viktor führte ihn, nein, ich irrte mich nicht, keine Verhüllung konnte diese Gestalt mir unerkenntlich machen. Auch er rauschte an mir heran; indem hob der Luftzug den Schleier seiner Dame, und ließ einen Theil ihres Gesichts mich erblikken; gleich einem Blitzstrahle loderte Erinnerung in mir auf; Marie! rief ich, Viktor und Marie! Sie hörten es nicht und jagten an mir vorbei.

Ich eilte sogleich von dem Gasthofe, wo ich bald darauf abstieg, in das Haus des Gouverneurs, eben fuhren von dort die Schlitten auseinander, jeder Herr geleitete seine Dame nach Hause, und ich sah auch den Gouverneur mit der Seinigen an mir vorüber fahren, ohne daß er mich bemerkt hätte. Vergebens suchte ich in seinem Hause die Wohnung meines Viktor zu erfahren; ich fand dort Alles in jener Verwirrung, wie sie unmittelbar nach einem Feste unter der Dienerschaft einer vornehmen Familie zu entstehen pflegt; Niemand wollte den Namen meines Freundes kennen, Niemand mir Rede stehen, der Gouverneur, hieß es, werde vor Mitternacht nicht wieder heimkehren.

Eine tödlich lange Nacht lag zwischen diesem Abende und dem nächsten Morgen, an welchem ich sogleich bei dem Gouverneur um eine Audienz anhielt, und sie auch erlangte. Er nahm sehr freundlich mich auf, und ließ sogleich in die ihm wohl bekannte Wohnung meines Viktors mich führen.

Ich fand meinen Freund bleich, erschöpft, in einem fieberhaften Zustande auf einem Ruhebette liegen, von welchem er, durch meinen Anblick freudig überrascht, in meine Arme flog. Ach die wenigen Monate, die er fern von mir verlebte, hatten um viele Jahre ihn älter gemacht! Ich alter Mann brauche mich nicht zu schämen es zu gestehen, ich mußte über ihn weinen, wie eine Mutter über ihr in Elend vergehendes Kind. Er bemerkte es, entwand sich meinen Armen, und fragte schmerzlich, herzzerreißend, ,Uberto, warum bist du gekommen?'

Ich bin nicht hier um von mir selbst zu sprechen; darum schweige ich von dem Schmerz, der immer tiefer, gleich einem Schwerte, durch meine Seele drang, je länger ich meinen unglücklichen Freund sah und hörte. Schon seit mehreren Wochen hielt er sich in Mietau auf, um Marien zu erwarten, die mit ihrem Gemahle dort eintreffen sollte. Was denn weiter mit ihm werden, ob er ihr nahen, ob er ihr sich zeigen werde? darüber hatte er in seiner trüben Unentschlossenheit nichts bestimmt. Er hatte seine Tage dort ganz einsam verlebt, nur den Gouverneur besuchte er zuweilen als einen ihm lieben Bekannten, aus einer frühern, glücklichern Zeit. Alles was dieser versuchen mochte, den Jüngling, der auch ihm werth geworden war, der Gesellschaft zuzuwenden, blieb fruchtlos, bis zu dem Tage der großen Schlittenfahrt, von der ich ein Zuschauer geworden war. Viktors innerer Trieb, der von jeher den blendenden Erscheinungen des

Nordens ihn zuzog, erwachte von Neuem in ihm als er von diesem Feste hörte; aber er sträubte sich lange dagegen, und versprach erst am Morgen des Festes, bei demselben zu seyn, als der Gouverneur ihn bat, an seiner Stelle eine fremde Dame zu führen, die er selbst nun nicht fahren könne, wie er erst sich vorgenommen habe; indem der höhere Rang einer ebenfalls erst angekommenen russischen Fürstin, ihn zwinge diese zu seiner Dame zu wählen.

Um jeden Rangstreit zu vermeiden, hatte, den Anführer des Zuges ausgenommen, das Loos über die Reihenfolgen der Schlitten entschieden, der Zufall warf meinem Freunde die letzte Nummer zu. Ohne nach dem, ihm in dem Augenblicke ganz gleichgültigen Namen der Fremden, die er führen sollte, sich zu erkundigen, ließ er an die Thüre eines großen, schönen Hauses sich geleiten, um seine Dame abzuholen; eine hohe, schlanke, in Pelzwerk tief verhüllte Gestalt tritt ihm entgegen, sie hebt den Schleier, ihren Führer zu begrüßen, und ganz unverhofft geht meinem Viktor zum zweiten Male die Sonne seines Lebens auf, zum zweiten Mal', auf kalter, lichter Schneefläche, erblüht ihm die Rose des Glücks.

Was sie während der Fahrt mit einander gesprochen, wußte Viktor selbst mir nicht zu sagen. Erst schwiegen beide, lautlos gaben sie dem entzückenden Bewußtseyn der Nähe eines geliebten Wesens sich hin; dann hörte Viktor sich verbannen und fühlte doch sich gehalten, und wußte, daß er weder scheiden könne, noch müsse. Keine Klage über ihre Verhältnisse entschlüpfte Mariens Lippen; aber Viktor las dennoch in ihren Blicken mehr, als ihre Worte ihm hätten sagen können; Viktor verschwieg was er bis jetzt gelitten, und Marie wußte es doch. Das Daseyn jedes von ihnen, war der getreue Abglanz des Daseyns des Andern, sie waren Eins, und darum hatte keines dem Andern etwas zu vertrauen.

Schwindelnd bis zur Betäubung, vor schmerzlichem Entzücken, kehrte Viktor Abends in sein Zimmer zurück. Das Geräusch der heimkehrenden Schlitten verklang in der Ferne, um ihn herrschte tiefe Stille, das Fest war vorüber mit all' seinem Zauber, sein eignes Leben schien es ihm auch zu seyn, eine lange, lange Nacht mußte beidem folgen, keine Auskunft, kein Lichtpunkt zeigte sich mehr. Alles, Alles war vorüber.

So fand ich ihn, versinkend in Trostlosigkeit. Ich war bei weitem der Aeltere von uns Beiden, ich hätte auch der Weisere seyn sollen; hätte der Gefahr ihn entziehen, ihn zwingen sollen, augenblicklich wieder mit mir abzureisen ohne sie wieder zu sehen. Was er gewollt, war ja vollbracht; er hatte sie wiedergesehen, lebend, blühend, sein Andenken im treuen Herzen tragend: was wollte er mehr von ihr, dem Eigenthum' eines Andern? Wer aber vermag den ersten Stein auf mich zu werfen, weil ich diese strenge Weisheit nicht zu üben vermochte? Weil ich es nicht über mich gewinnen konnte, meinen ohnehin leidenden Freund so schwer zu verwunden? Außer Marien hatte ich noch kein lebendes Wesen gesehen, das ihm zu vergleichen gewesen wäre. Die Sonne beschien kein zweites Paar gleich diesem; und dieses Paar sollte dem Schmerze der Trennung hoffnungslos erliegen, um einer Convenienzehe willen, die keinen, selbst nicht den Gemahl Mariens beglücken konnte? Mein Freund, seine schöne Geliebte, sollten ihr Leben vertrauern, um den von einer erkrankten Phantasie eingegebenen Wunsch eines längst Verstorbenen, halb Wahnsinnigen, zu befriedigen? Nein, das konnte, das durfte nicht geschehen; ich beschloß, Alles daran zu setzen um Viktor und Marie zu retten. Graf Czaratowski war katholisch, doch Viktor und Marie waren Protestanten, nichts schien mir leichter, als jene Ehe zu trennen, die nie hätte geschlossen werden sollen. Diese Trennung war der einzige Weg zur Vereinigung des liebenden Paares, und ich beschloß, sie herbeizuführen, und sollte ich auch, um diesen Zweck zu erlangen, den Grafen Czaratowski selbst, den ich noch nicht kannte, von der verschwiegenen Liebe benachrichtigen, die für einen Andern in der Brust seiner schönen Gemahlin in heißer Flamme erglühte.

Wir blieben also einstweilen in Mietau, und Viktor sah Marien wieder, doch nicht unter dem hohen, von Milliarden Sternen durchblitzten Himmelsgewölbe, wie bei jener Schlittenfahrt. Er sah sie nur in der engen Beschränkung geselligen Zwanges. Ihr reiner hoher Sinn hob Beide so weit hinaus, über alles was an Intrigue und Verstellung gränzte; es fand unter ihnen sogar nichts Verabredetes Statt, daß Viktor nie auf den Gedanken kommen konnte, ein einsames Gespräch mit Marien zu suchen. Nur in den Assambleen durfte er sie von Ferne sehen. Wie der reine schöne Mond, mitten zwischen Wolkenfratzen hindurch, seine stille Bahn geht, so ging Marie mitten im geselligen Getümmel ihren ruhigen Gang. Nie bot sie dem Freunde Gelegenheit, nur ein unbelauschtes Wort ihr zu sagen, ein zweiter Tantalus, stand er ihr nahe, ohne sie jemals zu erreichen, und kehrte an jedem Abende, neue Qualen im liebekranken Herzen, aus den vornehmen Zirkeln wieder heim, die wir Beide, er und ich, nur um Mariens willen besuchten. Ich selbst verging darüber fast vor Unmuth, Schmerz und Zorn; das konnte und durfte nicht so bleiben.

Meine unbegränzte Liebe zu meinem Freunde, mag neben der leichtern Sitte Italiens, an die ich gewöhnt war, es entschuldigen, daß ich endlich zu einem durchaus nicht zu lobenden Mittel schritt, um die Liebenden, ohne ihr Zuthun, zu einem ungestörten unbelauschten Gespräche zu bringen, das dann, wie ich mit Gewißheit glaubte, für die künftige Wendung ihres ganzen Lebens entscheidend werden mußte. Ich bewog durch Gold und Schmeicheleien eine der Kammerfrauen Mariens, während Graf Czaratowski abwesend war, meinen Freund in das Zimmer ihrer Gebieterin zu führen. Viktor wurde erst im Augenblicke der Ausführung dieses Plans von demselben benachrichtiget. Die Lockung war zu stark, sie besiegte die Furcht Marien zu beleidigen; und Marie sah ihn, athemlos, sprachlos vor Entzücken vor sich stehen, ehe sie seines Eintrittes gewahr worden war.

Nie habe ich ein sterbliches Wesen auf Erden geliebt, wie ich ihn liebte; was er für Marien fühlte, habe ich nie empfunden, daher kann ich nur sehr Unvollständiges von diesem Wiedersehen der Liebenden berichten, obgleich Viktor Tage und Wochen lang mit der schmerzlich schönen Erinnerung daran sich hinhielt, und sie zur nie versiegenden Quelle der Unterhaltung zwischen uns machte.

Langer Schmerz, überraschende und überschwengliche Freude, hatte in diesem berauschenden Momente Viktors Liebe zur höchsten Leidenschaft gesteigert. Wild verzweifelnd wagte er es, Marien zu umschlingen, hingerissen von süßem Wahnsinn der Liebe, beschwor er sie, befahl er ihr sogar, ihm zu folgen, ihm, dem ihr eigenstes Leben angehöre, ihm, dem Gott und Natur sie vom Anbeginn an zum Eigenthume bestimmt hätten. Mit glühenden Worten schilderte er ihre Ehe mit dem Grafen ihr als einen gräßlichen Verrath an sich und ihrem Gemahl selbst, und forderte sein Leben, seine Jugend, seine Seligkeit im Himmel und auf Erden, von ihren Händen.

Marie zitterte, sie erbleichte; er sah, wie sie, vergehend vor Angst, bittend ihn anblickte, er sah ihre Thränen; und der Sturm der Leidenschaftlichkeit, der in ihm tobte, legte sich plötzlich vor ihrer süßen allgewaltigen Zaubermacht; die hohe Göttlichkeit seiner reinen edlen Natur ging leuchtend aus dem Dunkel der Leidenschaft wieder hervor, die einen Moment sie umdunkelt hatte; sanft wie ein Kind, sank er vor

Marien hin, ganz Demuth, Hingebung und Alles opfernde Liebe, bat er sie ihm zu vergeben, daß er ihr gegenüber nur einen Augenblick etwas Anderes habe wollen können, als in schweigender Entsagung ihr anzugehören. Ohne eine Sylbe ihm erwiedert zu haben, ging Marie als Siegerin aus dem furchtbaren Kampfe mit der glühenden Liebe des edlen Jünglings hervor, aber sie sah zugleich den dunkeln Fittig des Todes die schönen geliebten Züge überschatten, und fühlte jetzt, von ihrer eignen Kraft verlassen, die ganze Schwere des Opfers, das ihr Geschick von ihr forderte. Aufgelös't in Thränen der Angst und der Liebe, flehte sie meinen edlen Viktor um Schutz gegen sich selbst an, und gegen ihr empörtes Herz; sie bat ihn, es nicht zu dulden, daß sie den Schlangenbissen der Reue sich Preis gäbe, es nimmer zu gestatten, daß sie ihm, dem Lichte ihres Lebens, folge, und noch jenseit des Grabes den dunkeln Schatten ihres unglücklichen Vaters durch Ungehorsam beleidige, indem sie von dem Gatten sich trenne, den er ihr erwählt.

Viktor wandte verstummend sich ab, er ließ ihren Arm, ihren schönen Körper frei, den er in der Gluth der Leidenschaft umschlungen gehalten, er verhüllte sein Gesicht und wollte gehen. Marie, hingerissen von Liebe und Bewunderung, ergriff seine Hand und drückte mit zitternder, glühender Lippe den Scheidekuß ihr auf. In diesem Augenblicke hörten Beide einen tiefen Seufzer; furchtbar, ähnlich dem letzten Stöhnen aus sterbender Brust, drängte der räthselhafte Ton sich zwischen sie hin, und Beide erstarrten in namenlosem Erschrecken.

Viktor erholte sich zuerst wieder, er durchsuchte das Zimmer, den Vorsaal, Alles war ruhig, nirgend eine lebende Seele; eisige Schauer rieselten ihm durch Mark und Gebein, indem er sich losriß und das Haus verließ. Als er vor die Thüre desselben trat, hatte spätes, plötzliches Schneegestöber nach langem Frühlingsthauen, die dunkle, schweigende Nacht erhellt, und er fühlte zum ersten Male, bei dieser ihm sonst so lieben, nördlichen Erscheinung, von gewaltsamem Grausen sich ergriffen. Es schien seinen getäuschten aufgeregten Sinnen, als verwandle der Schnee sich in ein weites unabsehbar großes Leichentuch, er sah Mariens Gestalt neben sich, er fühlte, wie das weiße kalte Gewand über ihn, über sie, über weite Strecken Landes sich lege und durch seine Schwere ihn erdrücke.

Innere Sorge hatte mich indessen zu Hause keine Ruhe finden lassen, es hatte mich hinaus getrieben, ich war in der Nähe von Mariens Wohnung umhergeschlichen, da fand ich meinen Freund, betäubt, erstarrt, an den Vorsprung eines Hauses gelehnt, und führte den halb des Bewußtseyns Beraubten in unsre Wohnung zurück.

Die mehrere Tage hindurch während Betäubung eines hitzigen Fiebers, führte den Unglücklichen über die völlige Trennung von der Geliebten mitleidig hinweg. Graf Czaratowski hatte schon am nächsten Morgen nach jenem unseligen Besuche, mit seiner Gemahlin die Stadt verlassen, um auf seine Güter zu gehen, und Abschiedskarten, die so oft als Grabschrift eines stillen Glückes an Spiegeln und Toiletten prangen, meldeten auch mir, daß jede Hoffnung für meinen unglücklichen Freund dahin sey.

Die Nachricht von dieser unerwartet schnellen Abreise beschäftigte die ganze Stadt, und gab zu unzähligen Muthmaßungen und Erdichtungen Stoff. Mich, den sie am nächsten betraf, beschäftigte sie am wenigsten; denn ich saß mit reuerfülltem Gemüthe am Sterbebette meines Freundes, dessen heftiges Erkranken alle meine Gefühle und Gedanken in Anspruch nahm. Die junge, frische Lebenskraft siegte endlich, Viktor erholte sich wieder; aber er stand jetzt vor mir, als wäre er sein eignes Marmorbild, ihm zum Angedenken auf seinem Grabe hingestellt. Nach und nach vermochte er, mir zu erzählen, was in jener dunkeln Stunde zwischen ihm und Marien vorgegangen sey, seine Erinnerung verweilte gern dabei, Stunden lang, bis zur völligen Erschöpfung sprach er mit mir davon, und verlor sich in Betrachtung von Mariens Bilde, dem einzigen Porträt das er jemals gemalt hat. Uebrigens bezeigte er sich fest entschlossen, den Ort nicht wieder zu verlassen, den Marie durch ihre Gegenwart ihm geheiligt hatte, den Einzigen, wo er hoffen durfte, von ihrem ferneren Leben zuweilen Nachricht zu erhalten. Und ich, ich fühlte zu tief, wie sehr ich durch mein gutgemeintes Einmischen an dem Glücke meines Freundes mich versündigt hatte, als daß ich es hätte wagen mögen, diesen letzten Trost ihm verleiden zu wollen.

Indessen konnte ich es mir doch nicht verbergen, wie sehr der Aufenthalt im Norden mir mit jedem Tage peinlicher wurde. Ich quälte vergebens mich ab, meinem Freunde den zuletzt zu leidenschaftlicher Qual sich steigernden Mißmuth zu verbergen, der rettungslos mich ergriff. Die Ersten und Vornehmsten des Landes, bemühten sich mich in ihre Kreise zu ziehen; sie zeichneten auf eine mich beschämende Weise mich aus, unmäßige Preise wurden für meine Arbeiten mir geboten, und doch konnte ich meinen, in geistige Untauglichkeit ausartenden Widerwillen gegen dieses Land, nicht unterdrücken. An Malen durfte ich gar nicht denken, kaum vermochte ich es noch zwei Ideen mit einander zu verbinden. Das fürchterlichste Heimweh hatte mich ergriffen, ich kam mir vor wie ein Gefangener unter Barbaren, und fühlte zu meiner eignen Verzweiflung immer dringender, die traurige Nothwendigkeit, diesen wie Blei auf mir lastenden Himmelsstrich schleunigst zu fliehen, wenn ich nicht zugleich geistig und körperlich zu Grunde gehen sollte.

Viktor ward meine traurige Gemüthsverstimmung nicht

sogleich gewahr, und als er sie bemerkte, gab er sich die größte Mühe, durch mühsam erzwungene Heiterkeit mich tröstend zu beruhigen. Doch diese Anstrengung seiner gebrochenen Kraft vermehrte nur die innere Verzweiflung, mit der ich als den Sklaven vieljähriger Verwöhnung mich betrachtete. Ich hätte mich selbst deßhalb hassen mögen, und doch konnte ich nicht ändern, was mir zur zweiten Natur geworden war. Zuletzt wollte mein Viktor mich bereden, ohne ihn nach Italien zurückzukehren; aber dieses sein Ansinnen wurde von mir auf solche Weise abgewiesen, daß er es nie wagte, wieder darauf zurückzukommen. Wie hätte ich ohne ihn leben und glücklich seyn können? – Ach, ich habe seitdem es wohl lernen müssen – ich habe wenigstens gelebt. Glücklich war ich wohl nie wieder, seit er mir fehlt, froh wohl, zuweilen, aber glücklich? –

Der Sommer schlich endlich herbei, auf den Alle, die an mir Theil nahmen, mich vertröstet hatten. Diese trübe, farblose Zeit, ohne Blüthen, ohne Nachtigallen, ohne Sonnenlicht und Sonnenwärme, schien mir noch trauriger als der Winter. Sie strich schnell vorüber, und mein Zustand ward in körperlicher und geistiger Hinsicht immer bedenklicher. Heimweh, unaussprechliche Sehnsucht verzehrten mich; vernichtet, zum Unkenntlichen verändert, fehlte es mir jetzt sogar an Kraft zum Entschlusse fortzugehen; ich war dahin an Leib und Seele, nichts, Niemand konnte mich retten außer Viktor – und er rettete mich, er rettete mich, aber um welchen Preis!

‚Ich gehe mit dir nach Rom, alter Freund!‘ rief er, von einem langen, einsamen Spaziergange heimkehrend, eines Morgens wie triumphirend mir zu, und ein Strahl meiner hesperischen Sonne, fiel aus seinen klaren leuchtenden Augen, mir erwärmend in das fast erstorbene Herz. ‚Ich habe mir Alles wohl überlegt, ich will mit dir in deine eigentliche

Heimath, wir wollen wieder mit einander malen, wir wollen wieder für einander leben, wie ehedem. Und hätte ich auch nur noch eine Spanne Zeit, wie ein ganz eignes Vorempfinden mir oft prophezeihen will, so gehört sie dein, diese Spanne, und wir wollen beisammen bleiben, so lange Gott will.'

Lachend, weinend, ihm dankend mit kindischer Freude, schloß ich den edeln, treuen Freund in meine Arme. Neu beseelt ordnete ich auf das schleunigste Alles zu unserer Abreise an. Was von düstern Vorbedeutungen in den Worten liegen mochte, mit denen Viktor seinen Entschluß mir angekündigt hatte, kümmerte mich wenig; ich schrieb seine trüben Ahnungen auf Rechnung des trüben Himmels über unserm Haupte, und war fest überzeugt, daß seine Gesundheit in Italien sich völlig wieder herstellen müsse. Endlich war Alles bereit und wir rollten ohne ferneren Aufenthalt dem theuern Lande meiner Sehnsucht zu, immer noch zu langsam für meine Ungeduld. Bis wir den Norden völlig hinter uns hatten, war mir noch immer zu Muthe, als könne irgend ein feindlicher Dämon in das Elend der Fremde, in die ertödtende Kälte, uns wieder zurückreißen.

Endlich hatten wir die Schweiz erreicht, diesen heiligen Vorhof jenes Zauberlandes, wohin wir strebten. Wonnige und schmerzliche Erinnerungen trieben meinen Freund diesen Thälern und Bergen zu, und ich vermochte nicht mich zu weigern, den Weg mit ihm zu ziehen, der seinem Herzen der liebste war. Ach, mein eignes Herz war jetzt wieder so voll Seligkeit! ich freute mich des Lebens auf unsrer schönen Erde, als wäre ich wieder ein sechzehnjähriger Knabe geworden. Wir befanden uns in der nämlichen Jahreszeit, in der ich vor zwei Jahren mein schönes Italien verlassen hatte; Alles war jetzt umgekehrt, hinter uns lastete noch der traurige Winter, auf dem von der Natur verabsäumten Lande, um uns erwachte der Frühling, schöner, herrlicher, als ich je ihn gesehen zu haben vermeinte, lächelte er aus jedem Strauche, von jeder grünen Matte uns entgegen. Mit unaussprechlichem Entzücken begrüßte ich die hohen Alpen, die Gränzmauer Italiens, und auch in den schönen geliebten Zügen meines edlen Freundes ging bei ihrem Anblick ein Strahl wehmüthiger Freude auf. Er blickte mit leuchtenden, von dem Himmel in seiner Brust wiederstrahlenden Augen zu den hohen Bergen empor, diesen mächtigen Säulen im Tempel der Natur.

Viktor war die Reise über ruhig, zuweilen sogar heiter. Er sprach viel und gern von Marien, sogar von der Möglichkeit, ihr unterwegs, oder vielleicht selbst in Italien wieder zu begegnen; denn er meinte, kurz vor unserer Abreise vernommen zu haben, daß ihr Gemahl noch im Laufe des vergangenen Sommers eine große Reise mit ihr antreten wollte. Nur wenn ich der Wahrscheinlichkeit erwähnte, daß der Graf Viktors Besuch bei Marien erfahren, und deshalb Mietau so schnell verlassen habe, wandte dieser schweigend und trübe sich ab, ohne sich darüber weiter aussprechen zu wollen. Auch erwähnte er oft mit der größten Ruhe des Vorgefühls seines nahen Todes, das noch immer ihn nicht verließ; mir machte dieses weiter keine Sorge, ich nahm es für die Nachwehen früherer Leiden, und widersprach ihm nicht, wenn er schwärmend zu höheren Welten sich erhob. Röthete sich doch wieder seine Wange, sah ich ihn doch täglich neue Kraft gewinnen, war er doch wieder mein, in diesem schönen blühenden Lande, und eilte mit mir jenem noch blühenderen Paradiese zu, wo, meiner festen Ueberzeugung nach, jedes kranke Herz gesunden mußte.

Ich konnte es meinem Viktor nicht versagen, noch einmal das Thal von Chamouny, den Schauplatz seines kurzen Glückes mit ihm zu besuchen, da wir uns so nahe an demselben befanden, obgleich in meiner Brust eine laute Stimme gegen diese Pilgerfahrt sich erhob. Umsonst warnte mein guter Engel mich; ach, er spricht oft zu uns, und wir verkennen seine Stimme, wir verstehen sie nicht und eilen, mit Blindheit geschlagen, unaufhaltsam mit eigenen Kräften dem Verderben zu.

Wie vor drei Jahren, breitete ein himmlisch friedlicher Abend über das Thal sich aus, als wir dasselbe betraten; und auch wieder, wie damals, wieder an der nämlichen Stelle, stand jener prächtige Char-a-banc vor der Thüre des Gasthofes. Bedienten in der nämlichen Livree schwärmten wieder umher, und die dicke Duenna wandelte wieder, im eifrigen Gespräch mit demselben widerwärtigen Alten, vor dem Hause auf und ab. Ich erstaunte! ich glaubte mich von plötzlichem Wahnsinne ergriffen. O, wäre es so gewesen! und hätte ich auch bis an das Ende meiner Tage darin verharren müssen! aber ich war völlig bei Sinnen, mein Auge trog mich nicht, Marie war da; sie hatte, gleich meinem Viktor, noch einmal die Grabstätte ihres Glückes besuchen wollen. Aber sie war nicht allein, ihr Gemahl war mit ihr gekommen.

Cölestine, lassen Sie uns schnell über Stunden hinweg eilen, deren Erinnerung noch nach sechzehn Jahren wie ein furchtbares Phantom, mich verfolgt.

Wir waren zu Fuße gekommen, wegen des überfüllten Hauses von keinem der dort anwesenden Fremden bemerkt. Am nächsten Tage wurden noch einige vornehme Russen erwartet, in deren Gesellschaft Graf Czaratowsky und Marie, über Lyon in das südliche Frankreich reisen wollten. Beide hatten an diesem Abende aus großer Ermüdung sich früh in ihre Zimmer zurückgezogen.

Viktor schrieb ihr – er bat um ein letztes Lebewohl, an der Stelle wo sie einander gefunden, wo Marie zum ersten Male seinem Lebensglücke das Todesurtheil gesprochen, indem sie die traurige Verwickelung ihm entdeckte, in die ihr Geschick sie verflochten. Er beschwor sie, seinem durchaus verarmten Daseyn diesen letzten Trost nicht zu versagen. Ich wußte, durch die früher mir bekannt gewordene Kammerfrau, Viktors Brief in Mariens Hände zu bringen; ich brachte ihm auch ihre Antwort – Marie gewährte, was er bat.

Viktor brachte die Nacht wachend zu, still in sich gekehrt, äußerlich ruhig, gleich einem der die Rechnung mit dem Leben abgeschlossen hat, und am Morgen nicht der Geliebten, nein dem Tode, gefaßten Muthes entgegen gehen soll; keine Spur früherer Leidenschaftlichkeit äußerte sich in seinem Benehmen. Der Tag brach an, verhüllt ging die Sonne auf, die Luft war schwül, ein heftiger Südwind strich seufzend von Zeit zu Zeit durch das Thal, und schwieg dann wieder in langen Pausen. Mein Freund drückte, ohne ein Wort zu sagen, mich an seine Brust, und verließ das Zimmer, das Haus! Ich sah durch das Fenster, die beiden hohen Gestalten das Thal hinab sich wenden, Marie hielt einen grünen Zweig in der Hand: so gingen sie dahin im Morgenlichte, ein Windstoß hob Mariens Schleier, ich glaubte, einen Engel die blendend weißen Schwingen zum Auffluge gen Himmel regen zu sehen. Beide waren mir bald aus dem Gesichte verschwunden.

Stunden vergingen, sie kehrten nicht heim, und ich verzehrte mich in unsäglicher Angst. Vergebens ging ich den Weg, den ich sie hatte nehmen sehen; vergebens befragte ich jeden mir Begegnenden; vergebens suchte ich in jeder Hütte am Wege Nachricht von ihnen zu erhalten, Niemand wollte sie gesehen haben.

Der Himmel trübte sich immer mehr, bei immer drückender werdender Schwüle, folgten immer heftiger, in immer kürzern Zwischenräumen, die Windstöße schneller auf einander, plötzlich hallte im Gebirge ein fernes Rollen, einem einzelnen Donnerschlage ähnlich. Ich hörte es und erbebte in namenlosem Entsetzen, ohne zu wissen worüber. Meine Sinne, meine Nerven geriethen in furchtbare Spannung; einem Wahnsinnigen ähnlich irrte ich bald zwischen den Klüften und Tannen umher, bald trieb die Hoffnung, daß sie wieder zurückgekehrt seyn möchten, mich dem Hause zu; es war jetzt hoch am Tage, die erwartete Reisegesellschaft langte an, sie bestand größten Theils aus Damen, und jetzt erst ward die Gräfin vermißt; ihre Kammerfrau hatte bis dahin alles Fragen nach ihr abzuwenden gewußt.

Ihr Zimmer war verschlossen, nach langem vergeblichen Klopfen wurde der Wirth herbei gerufen, um mit seinem Hauptschlüssel es zu öffnen, es war leer; man schloß daraus sie habe einen einsamen Spaziergang unternommen, doch keiner von den vielen Leuten im Hause wollte ihr Weggehen bemerkt haben.

,Sie ist verloren, wenigstens in dringender Gefahr, wenn sie in dieser Jahreszeit sich ohne Führer zu weit gewagt haben sollte,‘ rief der Wirth, und bestand darauf Boten auszuschikken, um auf allen Wegen in der Umgegend die Vermißte zu suchen. Es war zu Anfange des Maimonats, das Thal blühte im üppigsten Frühlingsglanze, doch die wilden Waldbäche, von Eiswasser geschwellt, durchtobten noch das Gebirge; die mächtigen Lawinen drohten; die Berge, die Klüfte, die tiefen Felsenthäler lagen noch voll Schnee; nur die geübtesten Gemsenjäger mochten es wagen, die sonst am leichtesten zu ersteigenden Gebirge zu betreten, welche im hohen Sommer das Ziel aller Reisenden in diesen Gegenden sind, und konnten es nicht ohne Gefahr.

Jetzt trat der Graf Czaratowski hinzu, und die Verwirrung ward allgemein. Alle Führer der Umgegend wurden zusammen berufen, die rüstigsten Bewohner des Thales schlossen sich ihnen an; Jeder hatte eine andere Meinung, Jeder glaubte bessern Rath zu wissen, dazwischen tobte heulend der immer steigende Sturm, der Wirth hatte in seinem Hause zu thun, der Graf konnte aus Unkunde der Gegend nichts entscheiden, Jeder suchte seine eigne Meinung geltend zu machen, es ward geschrieen, gestritten, herüber und hinüber, darüber verging die Zeit, der Abend rückte heran als man sich endlich auf machte die Vermißte zu suchen, es ward Nacht, und Keiner kehrte heim, der tröstliche Kunde von ihr gebracht hätte.

Bis dahin hatte ich den Blicken des Grafen mich zu entziehen gesucht, jetzt aber trieb nicht mehr zu bändigende Angst mich ihm entgegen; er stand, von Bedienten, Frauen und Landleuten umringt, und hörte den Bericht einiger Führer an, die eben von ihren fruchtlosen Nachforschungen zurückgekehrt waren. Ihm zunächst stand die Kammerfrau, die in Mietau meinen Freund zu ihrer Gebieterin geführt und am gestrigen Abende seinen Brief ihr übergeben hatte. Sie zuerst ward meiner gewahr, und stürzte im nächsten Augenblick, von einem Anfall wahnsinniger Reue ergriffen, zu den Füßen des Grafen hin; laut schluchzend umschlang sie in wilder Verzweiflung seine Knie, und bekannte, am Abende zuvor ihrer Gebieterin einen Brief von einem jungen Manne übergeben zu haben, der zu mir gehöre; den sie früher schon in Mietau heimlich bei ihr eingeführt habe, und mit dem die Gräfin heute bei Tages Anbruch ausgegangen sey.

Des Grafen verwilderter Blick fiel auf mich. Leichenblässe überzog sein Gesicht, indem er mich wahrscheinlich erkannte, er bebte zurück, wie vor einer giftvollen Schlange, als ich ihm nahen wollte, um ihm alle die Auskunft zu geben die ich zu geben wußte. Schweigend winkte er mich von sich ab, seine Blicke glühten, wie verzehrendes Feuer. Er rang lange nach Athem: ‚hier gilt es nicht mehr eine im Gebirge Verlorne, es gilt eine auf gangbarem Wege Entflohene zu suchen, und dieses erfordert andre Anstalten, als die bisherigen,‘ rief er mit verbißnem Grimme in italienischer Sprache mir zu.

Laut schreiend, wie ein verwundeter Wilder, stürzte ich bei diesen Worten auf ihn ein. Diesen entehrenden Verdacht konnte ich auf meinem edlen Freund nicht haften lassen, ich wollte den Grafen fest halten, ich wollte ihn zwingen, mich anzuhören, ich wollte auf jede Weise diese schmähliche Beschuldigung von meinem Freunde abzuwälzen suchen. Vergebens! ich ward, gleich einem Rasenden, von den Umstehenden ergriffen und übermannt; der Graf entwand sich mir, und begann sogleich mit düsterm Ernst, aber rascher Besonnenheit, alle Anstalten zu einer genauen Haussuchung in allen Hütten des Thales zu treffen. Bediente und mit Fackeln versehene Führer wurden zu diesem Zwecke noch in tiefer Nacht ausgesendet. Er selbst machte sich bereit mit grauendem Tage aufzubrechen, um auf dem Wege nach Genf die nöthigen Nachforschungen anzustellen; sein Sekretair erhielt Befehl, auf dem jetzt noch ziemlich gefahrvollen Wege nach Martigny, das Nämliche zu thun, und der widerwärtige Mensch schien dieses Geschäftes sich zu freuen.

Durch alle diese Anstalten ward ich selbst fast irre gemacht, und doch lebte in mir die festeste Ueberzeugung, daß nur eine unbegreifliche Verblendung des Grafen sich bemächtigt haben müsse. Es war mir eben so wenig denkbar, daß Marie zu einem solchen Schritte sich habe verleiten lassen können, als daß mein hochgesinnter, edler Viktor den Gedanken gefaßt haben solle, sie dazu aufzufordern. Er hatte sein Zusammentreffen mit ihr, hier an dieser Stelle, nimmermehr vermuthen können, und er war kein schwachsinniger selbstsüchtiger Knabe, der von der Gewalt des Augenblicks zu einer Handlung sich verlocken lassen konnte, gegen die früher sein reines Gemüth sich empört hatte. Ich suchte die Ueberzeugung fest zu halten, daß Viktor und Marie im Gebirge sich verirrt hätten, daß die zu große Ermüdung der zarten, des Gehens ungewohnten Frau, ihre Rückkehr verhindert, und sie an einer, vielleicht sehr unwirthbaren Stelle, festgehalten habe. Daß ein wirklich bedeutender Unfall Beide betroffen haben könne, davon durfte ich nicht einmal die Möglichkeit in mir aufkommen lassen, wenn ich bei Sinnen bleiben wollte. Indessen traf ich doch meine Anstalten zu ihrer Rettung, als ob eine solche Möglichkeit vorhanden gewesen wäre. Ich wandte die bis zum Morgen mir übrig bleibende Zeit dazu an, mir drei der rüstigsten, der Gegend kundigsten Gemsenjäger zu gewinnen; Stricke, Leitern, warme Decken, Wein, Lebensmittel, Alles, was wir zur Rettung und Labung der Verirrten nöthig zu haben glaubten, wurde mitgenommen. Kaum begann die Kuppel des mächtigen Montblanc in Rosengluth sich zu kleiden, so machten wir uns auf den Weg, während im Thale, der eben grauende Morgen noch mit Nebeln und Dunkelheit zu kämpfen hatte. Wir gingen zuerst dem großen Gletscher am Eingange des Thales zu, der dem Montblanc seine Entstehung verdankt, denn hieher glaubte ich vor Allem, daß die Verlornen sich gewendet haben müßten; es war derselbe Weg, den sie vor drei Jahren, an jenem unseligen Morgen der Trennung, mit einander gegangen waren.

Heimlich zitternd vor dem Zustande, in dem ich vielleicht die Verlornen finden würde, hatte ich in ängstlicher Eile den Ausgang des Dorfes kaum erreicht, als Graf Czaratowski zu Pferde mich einholte, von einer Schaar Bedienten und Landleute begleitet.

‚Wohin am frühen Morgen?‘ herrschte er mir zu.

Dreist und bestimmt beantwortete ich seine Frage.

‚Ihr Ziel liegt von meinem Wege nicht zu weit entfernt, als daß ich mir nicht das Vergnügen machen sollte, Sie zu begleiten,‘ erwiederte er mir mit schlecht verhehltem Ingrimm. ‚Alle die Leute die Sie hier sehen, sollen Ihnen suchen helfen, was wir wohl schwerlich zwischen den Gletschern finden werden. Doch dem sey wie ihm sey, ich begleite Sie, denn offen gestanden, ich habe nicht Lust, Sie sobald aus dem Gesichte zu verlieren.'

Ohne ihm nur eine Sylbe zu antworten, setzte ich mit schwellendem Herzen meinen Weg fort; ich fühlte, daß ich schweigen mußte, wenn es mir ferner gelingen sollte, mein empörtes Gefühl zu beherrschen. Wir eilten die grüne Matte hinauf, schon lag das Tannengebüsch dicht vor uns, hinter welchem der Gletscher sich erhebt, der Graf blieb beständig mir zur Seite. Jetzt liefen ein Paar junge Savoyarden herbei, sie weinten, sie schrieen, sie flehten unser Mitleid an; es waren arme Hirten, der warme Südwind des vergangnen Tages hatte von den höchsten Bergen große Massen von Schnee losgelöst, diese waren auf eine hoch liegende Alpenwiese gefallen, an deren Abhange die armen Savoyarden ihre kleine Ziegenheerde weiden ließen; nur mit Noth hatten die Unglücklichen das eigne nackte Leben gerettet, ihre ganze kleine Heerde, ihr einziger Reichthum auf der weiten Erde, war vernichtet.

Mein Herz stand bei ihrer Erzählung still, in namenlosem Entsetzen; auch der Graf erbleichte, indem er die Klagen der armen Hirten anhörte, von bangen Besorgnissen sichtbar ergriffen.

Ich hörte und sah nun nichts weiter. In unaufhaltsamer Eile bahnte ich mir meinen Weg durch das Tannengebüsche, über den Wall von Steingerülle hinweg, der diesen wie alle Gletscher umgibt, und begann zwischen den Eispyramiden hinauf zu klettern. Die Führer hatten Mühe mir zu folgen; sie riefen warnend mir zu, dem lockern Schnee nicht zu trauen, der die Eisfläche bedeckte; doch ich ging meinen Weg fort, ohne auf sie zu achten, bis ich auf einer großen, von Schnee freigebliebenen Eistafel, schwankend zwischen Freude und Entsetzen, den Abdruck eines kleinen zierlichen Fußes entdeckte. Es war augenscheinlich, Marie hatte hier gewandelt; hoch über uns sich wölbende Eismassen hatten diese Stelle vor dem Schnee geschützt, ihr Engel hatte hier sichtbar gewaltet, um ihre Spur uns finden zu lassen. Der grüne Zweig, voll eben knospender Rosen, den sie wie ich Tages zuvor bemerkte, beim Ausgehen in der Hand trug, lag unfern von dem Abdruck ihres Fußes noch ganz frisch erhalten, vom Winde in eine schützende Ecke hin geweht; ich stürzte auf die Knie, ich küßte unter einem Strome von Thränen das grünende Zeichen der neu belebten Hoffnung, ich war in diesem Augenblicke fest überzeugt, daß die Hand, welche diesen Zweig so wunderbar in der eisigen Wüste erhielt, sich auch über Viktor und Marie schützend ausgebreitet haben würde, um sie vor dem Untergange zu bewahren.

Unsre Begleiter hatten indessen noch einige, in das aufthauende Eis eingedrückte und über Nacht wieder festgefrorne Fußtapfen entdeckt. Auf Befehl des Grafen hallte die öde Gegend jetzt von ihrem Rufen, laut, zu wiederholten Malen; doch keine antwortende Stimme ließ sich vernehmen, kein Ton war hörbar, als der Widerhall unsers Rufens, und aus hoher blauer Luft, das Gekreisch eines mächtigen Adlers.

Neue noch furchtbarere Angst ergriff mich bei dieser Todtenstille, einem Wahnsinnigen ähnlich, wand ich zwischen den Eiszacken mich hindurch, den Gletscher hinauf, um die andre ebenfalls dem Thal sich zusenkende Seite desselben zu untersuchen. Meine Gemsenjäger wollten, der frühen Jahreszeit wegen, von diesem gefahrvollen Unternehmen mich zurück halten, doch da sie meinen festen Willen sahen, blieben sie mir zur Seite. Da standen wir plötzlich vor einer hochaufgethürmten Masse von Schnee; jedes fernere Fortschreiten war unmöglich. Eine Staublawine war hier gefallen, hier, wo seit Menschengedenken, seit Jahrhunderten vielleicht keine – o mein Gott! das war der Donner, den ich am vorigen Morgen gehört! Ich stand am tiefen, kalten Grabe des edelsten Lebens, der Blume der Welt, des Meisterwerkes des Schöpfers. Mariens Schleier schwebte in unersteiglicher Höhe von einer Eiszacke herab, wohin die Windsbraut, die Begleiterin jener furchtbaren Lawine, die das unglückliche Paar hier ereilt hatte, ihn geführt. Alles war erfüllt, was Viktor vorempfand, als er an jenem unseligen Abende in Mietau Mariens Haus verließ, der Schnee war zum kalten Leichentuche geworden, das die Liebeglühenden Herzen auf ewig umhüllte. Alle Umstände vereinten sich, um mir eine entsetzliche Gewißheit zu gewähren, der endlich mein Bewußtseyn erlag."

Der Alte beugte jetzt verstummend sein Haupt, und verbarg sein Gesicht mit beiden Händen; Cölestine schluchzte hörbar; keiner der Anwesenden wagte sich zu regen, kaum zu athmen. Endlich nahm Meister Hubert wieder das Wort.

„Nach Wochen lang, in dumpfer Bewußtlosigkeit gekämpftem Ringen mit dem Tode, mußte ich wieder zum Leben erwachen. Ich fand mich in der ärmlichen Wohnung des Pfarrers von Chamouny wieder, dem freundlich milden Arzt und Tröster seiner Gemeinde, in geistiger, wie in irdischer Noth. Zu ihm hatten meine Gemsenjäger mich getragen, als ich, einem Todten ähnlich, an dem weiten kalten Grabe meines Freundes nieder gesunken war, und er hatte gern und willig mich aufgenommen. An meinem Bette, als meine Pflegerin, saß Gaetana. Ich hatte Mühe, sie wieder zu erkennen, so verändert war ihre Gestalt. Ach! auch diese prachtvolle Blume im Garten Gottes auf Erden, mußte ich dem frühen Verwelken zusinken sehen; kaum war sie noch ein Schatten von dem, was ihre Jugendblüthe gewesen. Das Gerücht von dem furchtbaren Geschicke des noch immer

Heißgeliebten, war bis zu ihr nach Turin gedrungen, wohin sie von Rom mit ihrem Gatten gezogen, und keine Macht auf Erden hatte sie abhalten können, die Ihrigen zu verlassen, und dahin zu pilgern, wo, der Sage nach, das Licht ihres Lebens untergegangen seyn sollte. Lange zweifelte sie an der Wahrheit dessen, was das Gerücht von Viktors Verderben erzählte, doch je näher sie dem Ziele ihrer Wanderung kam, je schwankender ward ihre Hoffnung. Die ganze Gegend weit und breit war voll von der traurigen Begebenheit, des Grafen Dienerschaft, die Leute, die er ausgesandt hatte, um seine Gemahlin überall zu suchen, hatten mit der größten Umständlichkeit, und manchem, das Andenken des unglücklichen Paares entehrenden Zusatze, sie verbreitet. In Chamouny selbst, ward die verzweifelnde Gaetana, um nähere Nachrichten zu erhalten, an den Pfarrer gewiesen; mein Anblick bestätigte ihr die entsetzliche Begebenheit, die mit gränzenlosem Schmerze sie erfüllte.

Des Pfarrers frommes Zureden besänftigte nach und nach ihre wilde Verzweiflung; diese ging in tiefe Melancholie über, leise wandelte die Arme, fast gänzlich verstummend, im Hause umher, nahm an keiner äußern Erscheinung des Lebens mehr Antheil, ausgenommen an der Sorge für meine Verpflegung. So fand ich sie bei meinem wiederkehrenden Bewußtseyn an meinem Bette; so blieb sie auch bei unsrer Heimreise, auf der sie ohne Widerstreben sich von mir nach Turin zu den Ihrigen geleiten ließ.

Während meines dumpfen Hinbrütens war Graf Czaratowski längst abgereist, in einem Zustande von Verzweiflung, dessen Beschreibung mein tiefstes Mitleid erregt haben würde, hätte ich je den Verdacht ihm verzeihen können, den sein mit Argwohn erfülltes Gemüth, auf meinen Freund und dessen schuldlose Geliebte geworfen. Vor seiner Abreise hatte der Graf noch das Unmögliche versuchen lassen, um die

Todten aus ihrem weiten kalten Grabe an das Licht zu ziehen. Seit sechzehn Jahren schlummern sie dort ruhig und ungestört, neue Krystall-Pyramiden aus unvergänglichem Eise haben seitdem über ihre Ruhestätte sich aufgethürmt, zum Denkmal der reinsten und unglücklichsten Liebe.

Mir ist von meinem Freunde nichts geblieben, als Mariens Bild, das sich in dem Zimmer vorfand, welches ich mit ihm im Gasthofe von Chamouny bewohnt hatte; ich habe diesem Bilde das meines Freundes hinzugefügt, in aller Herrlichkeit seiner Jugendschöne, wie er war, ehe der Sirokko der leidenschaftlichsten Liebe ihn ergriff und die Blüthe seines Lebens versengte. Ich trage beide Bilder, in Viktors Taschenbuche vereint, immer bei mir, und auch die Zeilen, in welchen Marie meinem Freunde versprach, ihn auf dem Todesgange zu begleiten, zu dem er sie einlud ohne eine Ahnung von dessen furchtbarem Ausgange. Das ist Alles, Alles, was von dem Paare mir blieb, welches bestimmt schien die Zierde der Welt zu seyn," setzte der alte Maler mit trübem Blicke hinzu, indem er eine kleine, durch die Zeit unscheinbar gewordne Brieftasche hervor zog.

„Und diese Zeilen! mein würdiger Freund, lassen Sie durchaus mich klar sehen, verschweigen Sie mir nichts," rief Cölestine sehr bewegt, „was beweist der Brief der unglücklichen Marie, für den Zweck jener unheilvollen, Tod bringenden Zusammenkunft?"

„Nichts, was wir nicht schon gewußt hätten, theure Gräfin," erwiederte der Alte, indem er aus dem Taschenbuche ein Papier nahm, das er mit schwankender, fast erstorbener Stimme vorlas.

„‚Ich komme, mein theurer Freund, wie Sie es wünschen; ich komme morgen mit Aufgang der Sonne. Ich ehre dankbar die Wege des Schicksals, das wunderbar und unerwartet uns zum zweitenmale an dieser Stelle zusammen führt, um auf

dem freudenlosen Pfade, der uns vorgezeichnet ist, den Trost
eines minder stürmischen Abschiedes uns mitzugeben, als
unser letzter es war. Am Scheidewege, der für dieses Leben
auf immer uns trennt, will ich im Angesichte Gottes, der hier
in seinem erhabensten Tempel sichtbarer waltet, das letzte
Lebewohl aussprechen. Mein Herz schlägt ruhig, indem ich
dieses niederschreibe, wenn gleich schmerzenvoll. Die Hand,
die bis jetzt uns hielt, wird ferner über uns walten; damit wir
immer ohne Wanken, ohne Reue, ohne Klage, über die
Trümmer unseres Glückes auf Erden, friedlich dahin wandeln können, bis an's Ende.

Marie.'

Und hier, das war mein Viktor, das war Marie," sprach der
Alte, indem er mit bebenden Händen das Taschenbuch vollends auseinander schlug. Er reichte mit abgewendetem Blicke
es Cölestinen hin, dann schritt er der Thüre zu, langsam,
unhörbar, gleich einem Schatten, durch die lange Reihe der
Zimmer hindurch, und war verschwunden.

„O, Raimund! o, mein Bruder!" rief Cölestine mit strö-
menden Augen, indem sie die Bilder betrachtete und an ihre
Lippen drückte. „Ja," setzte sie, gegen die Anwesenden
gerichtet, mit strahlenden Blicken hinzu, welche in Thränen
glänzten, „mögen Sie Alle, mag die ganze Welt es jetzt
erfahren! Viktor war mein Bruder, mein geliebter unglücklicher, mein, o wie lange und wie schmerzlich beweinter
Bruder! Sein trübes Geschick war mir nie deutlich geworden,
bis zu dem heutigen Tage, der endlich den lange Verkannten
mir schuldlos zeigt, ihn, dessen Andenken die Ahnung von
schwerer, furchtbar gerächter Schuld, bis jetzt mir trübte.
Und dieser Brief, Mariens theure Zeilen! – o Gott, wie dank'
ich dir für diese schmerzlich schöne Stunde!"

Ein neuer Strom von Thränen erleichterte ihre gepreßte
Brust. Sie weinte lange und so recht aus dem Herzen wie ein

Kind, trocknete dann ihre Thränen und blickte freundlich die Umstehenden an, die sich theilnehmend um sie her gedrängt hatten.

„Der Zufall," sprach die schöne Frau, „hat in diesen Abendstunden Sie Alle aus lieben geehrten Bekannten, mir zu vertrauten Freunden gemacht; denn spät erst, zu spät, um die Unterhaltung abbrechen zu können, ward ich gewahr, wie nahe die Erzählung des Meisters Hubert, die tiefsten verborgensten Saiten meines Gemüthes berühren würde. Ich bin der Theilnahme die Sie mir beweisen, es schuldig, Ihnen zu erklären, wie es möglich ward, daß ich erst heute, nach so vielen Jahren, von der Begebenheit deutliche und umständliche Kunde erhielt, die meinen einzigen Bruder einst dem Untergange zugeführt hat. Ich will es jetzt gleich, ehe wir für diesen Abend auseinander gehen; in der gewaltsamen Aufregung aller meiner Gefühle, in der ich mich befinde, werden meine Kräfte dazu ausreichen; eine zweite Unterhaltung dieser Art würde zu schmerzlich mir seyn. Ich möchte sie vermeiden, und doch nicht in zweideutigem Lichte mich Ihnen zeigen.

Raimund war mein Bruder, mein einziger Bruder," begann Cölestine nach einer kleinen Pause. „Er hieß Raimund Viktor, wir waren im Hause gewohnt ihn bei seinem ersten Taufnamen zu nennen, und der zweite kam darüber ganz in Vergessenheit; daher erkannte ich ihn in der Erzählung seines alten Freundes nicht gleich. Er war um mehrere Jahre älter als ich; selbst damals, als wir vor sechzehn Jahren ihn verloren, war ich den ersten Kinderjahren kaum entwachsen; auch habe ich den geliebten Bruder nur selten, während der kurzen Besuche, die er bei meiner Mutter ablegte, gesehen, und wußte wenig von seinen Verhältnissen. Denn Gründe mancherlei Art, besonders eine sehr geschwächte Gesundheit, bewogen meine Mutter, mit mir theils in Genua, wo sie die

Seebäder brauchte, theils auf unsern Gütern im südlichen Deutschland zu leben. Ungemäßigte Liebe zur Kunst, nebst meines Bruders Bestimmung für dieselbe, gaben hingegen meinem Vater Veranlassung, sich meistentheils in Rom aufzuhalten.

Unerachtet meiner großen Jugend, unerachtet der Seltenheit seiner Besuche, war doch die Erscheinung meines Bruders das erste Licht, welches mein Leben erhellte. Die seltne Schönheit seiner Gestalt, seine geistigen Vorzüge, seine milde Freundlichkeit gegen mich, die an Bewunderung gränzende Auszeichnung, die von Allen ihm ward, welche ihm nahten, machten, daß ich wie zu einem Wesen höherer Art zu ihm hinauf sah; damals war ich stolz darauf ihn meinen Bruder nennen zu dürfen, und ich danke Gott, daß ich jetzt wieder es seyn darf, daß die Wolke hinweg schwand, die sein Angedenken mir verdüsterte.

Er starb ferne von uns, die Art seines Todes wurde mir verhehlt, kaum daß man mir gestehen mochte: ich hätte ihn verloren. Ich mußte meine Thränen um ihn ersticken, denn jede Erinnerung an ihn wurde mit großer Aengstlichkeit vermieden, Vater und Mutter erschracken jedes Mal, wenn zufälliger Weise sein Name in ihrer Gegenwart ausgesprochen wurde: und doch bezeugte die tiefe Betrübniß meiner Aeltern, daß sein Verlust ungewöhnlich hart sie verletzt haben müsse. Seit Raimunds Tode trugen die edlen Züge meines Vaters unabänderlich das Gepräge düstern Kummers, und meine fromme Mutter legte nach dem Glauben ihrer Kirche die strengsten Bußübungen sich auf, die ihre Gesundheit völlig zerstörten. Oft lag sie Stunden lang auf den Knieen, und ich hörte für das Heil der Seele meines Bruders sie inbrünstig beten; einige Worte, die ihrem Schmerze entschlüpften, als ich sie einst mit Thränen bat sich so nicht hinzuopfern, ließen mich errathen, daß mein Bruder im

Augenblick einer schweren Versündigung von Gottes Straf-
gericht getroffen, ins Grab gesunken sey; und nun war auch
meiner jungen Seele der Frieden entflohen. Ich versank in
tiefen verborgenen Kummer, unnennbares Grausen ergriff
mich, wenn ich meines armen Bruders gedachte, und doch
war es mir unmöglich, an seine Schuld zu glauben. So lange
sein Verbrechen mir nicht genannt wurde, sah ich keine
Möglichkeit, ihn mir ganz schuldlos zu denken; der heiße
Wunsch dieses zu können, verfolgte mich Tag und Nacht,
und die Dunkelheit, die man absichtlich über alles verbrei-
tete, was den Unglücklichen betraf, vermehrte die Angst die
mich quälte. Eine alte Kammerfrau meiner Mutter vertraute
mir endlich: Raimund, denn so nannte sie ihn wie wir Alle,
Raimund habe eine unglückliche Dame von hohem Range
ihrem Gemahle entführt, und ein aus heiterm Himmel herab-
fahrender Blitz, habe beide Verblendete in ihrer strafbaren
Sicherheit erreicht und zerschmettert.

Obgleich meinem hellen gesunden Verstande das Mährchenhafte und Uebertriebene nicht entging, welches in dieser
Erzählung liegen mochte: so ergriff mich dabei doch unaussprechliches Entsetzen und Grausen. Nicht zu beschreibende
heimliche Angst, vertilgte von nun an jede Spur jugendlichen
Frohsinnes aus meinem Gemüthe. Ich war zwölf Jahr alt,
größten Theils im üppigen Italien aufgewachsen; aber meine
wahrhaft tugendhafte Mutter, hatte in gänzlicher Unbe-
kanntschaft mit der Möglichkeit des Lasters mich aufwachsen
zu lassen gewußt: und so blieb fast Alles, was ihre Kammerfrau mir vertraut hatte, mir unverständlich; aber diese hatte
hinzugesetzt, daß der Gemahl jener unseligen Frau als ein
Wahnsinniger die Welt seitdem durchirre, und das war der
einzige Punkt, den meine jugendliche Fantasie festzuhalten
verstand. Was mein Bruder verbrochen haben sollte, um die
sichtbare Hand der strafenden Gerechtigkeit Gottes auf sich

zu ziehen, begriff ich nicht, so viel ich auch ins Geheim darüber nachdachte; aber das Bild jenes, durch meines Bruders Schuld, die Welt wahnsinnig Durchirrenden, schwebte mir dennoch immer vor, schreckte aus bangen Träumen mich auf, und zerstörte einstweilen völlig den Frieden meiner schuldlosen Kindheit.

Kaum war seit dem mir unbegreiflichen Untergange meines Bruders ein Jahr mir trübe und freudenlos vergangen, als ich auch meine geliebte Mutter durch den Tod verlor; sie hatte ins Grab sich gehärmt!

Dieses große Unglück, wohl sonst das größeste, was eine unmündige Tochter erleben kann, rettete mich vielleicht dennoch dieses Mal, vor dem Untergehen in Tiefsinn und religiöser Schwärmerei. Mein Vater brachte mich nach Paris zu seiner dort lebenden Schwester; unter der Leitung dieser vortrefflichen, hochgebildeten, ungeachtet ihres langen Aufenthalts in Paris, deutsch gebliebenen Frau, gewann meine geistige Bildung eine ganz andere Richtung. Auch mein Vater starb bald nach meiner Mutter, meine Tante nahm mich völlig an Kindes Statt an, das wirkliche Leben erfaßte mich mit seinen Leiden und seinen Freuden. Es entriß mich der Traumwelt, in welcher ich bis dahin gelebt hatte, und in der mich zu verlieren ich in Gefahr gewesen war.

Dennoch blieb Viktors eigentliches Schicksal mir immerfort ein unauflösliches Räthsel, das in jeder einsamen Stunde mich schmerzlich beschäftigte, und dessen tröstende Lösung mir erst heute völlig ungestörten Frieden wiedergibt."

Cölestine verstummte hier, sichtbar erschöpft, und die Gesellschaft entfernte sich bald darauf, und ließ ihr Zeit, im Nachdenken und in dem Betrachten der beiden, ihr von dem alten Maler zurückgelassenen Gemälde, Beruhigung zu suchen. Sie eilte mit diesen in ihr einsames, an ihr Wohnzimmer anstoßendes Kabinet, und zu ihrem großen Erstaunen trat

Meister Hubert, den sie längst daheim zur Ruhe glaubte, ihr in demselben entgegen.

„Zürnen Sie nicht, edle, schöne, meinem alten Herzen jetzt so nahe verwandte Frau," sprach der Maler, fast demüthig, „zürnen Sie nicht, daß ich hieher mich schlich um Ihrer zu harren, hieher, wo ich, während Alle entfernt mich glaubten, jedes Ihrer Worte vernahm. Ja, Sie sind die echte Schwester meines Viktors, die echte Schwester seines edeln, reinen Gemüthes! Ich konnte es länger nicht ertragen, mich und meinen Schmerz fremden Blicken Preis geben zu müssen, es war mir unentbehrlich ein Paar Minuten mit mir allein zu bleiben: und dennoch fühlte ich unwiderstehlich mich getrieben, Ihnen noch Manches zu vertrauen, Ihnen allein. Ich habe noch etwas auf dem Herzen, das ich in Ihre Hände niederlegen muß. Lassen Sie mich jetzt vollenden, gütige Frau, das Leben ist kurz, meine Tage, ich sollte sagen, meine Stunden, sind gezählt. Ich habe keine Zeit mehr zu verlieren."

Mit der ihr eigenthümlich milden Freundlichkeit suchte Cölestine den noch immer sehr bewegten Greis zu beruhigen. Sie versicherte, daß sie seiner, in dieser Stunde unerwarteten Erscheinung sich sogar freue; „denn," setzte sie hinzu: „denn auch ich habe etwas auf dem Herzen."

„Von Gaetana möchte ich noch mit Ihnen sprechen," nahm Meister Hubert das Wort, indem er an Cölestinens Seite sich niederließ, „von der armen unglücklichen Gaetana, dem dritten Opfer jener unseligen Leidenschaft, das noch zur Stunde, in tiefem Schmerz, ein selbst gewähltes, dunkles Daseyn, um Viktors willen mit Heldenmuthe trägt. Die edle Gräfin Cölestine wird nicht mit Verachtung auf jene Unglückliche herab sehen, weil diese in ihrer Niedrigkeit es wagte, das Auge bis zu dem Bruder derselben zu erheben; sie wird mit mir das Geschick eines ausgezeichneten Wesens beklagen, das, zu besseren Hoffnungen berechtiget, an der Gluth seines heiligsten Gefühles zu Grunde gehen mußte.

Ich verließ Gaetana in Turin, sobald ich sie den Ihrigen wieder übergeben hatte, und ließ nun in Florenz mich nieder. Denn nach Rom, und in meine dortige, verödete, ausgestorbene Wohnung, konnte ich ohne ihn, der mir Alles gewesen war, nicht wieder zurückkehren. Ich suchte fortan Beruhigung, wo ich allein sie finden konnte, in dem wohlthätigen Fluch, mit dem Gott die Menschheit gesegnet, in emsiger fleißiger Arbeit, und in dem Einzigen, was ein freundliches Geschick mir schon bei meiner Geburt zum Troste auf dem Lebenswege mitgegeben, in der Liebe zur Kunst, und dem eifrigen Bestreben sie würdig zu üben. Ich malte und zeichnete fast Tag und Nacht, nicht um darüber zu vergessen, sondern um männlich tragen zu können, was sich nie vergessen läßt. So allein durfte es mir gelingen, mein Leben von einem Tage zum andern zu fristen, ohne meinen Geist in dumpfer Trostlosigkeit versinken zu lassen. Doch anders war es mit der armen Gaetana. Die beschränkte Thätigkeit, welche ihr einfaches Leben der, ohnehin nach italischer Art, nicht an häuslichen Fleiß gewöhnten Frau erlaubte, war nicht hinreichend, um sie über den Schmerz aufrecht zu erhalten. Ich erkundigte mich anfangs oft nach ihr, ich vernahm wie sie absichtlich über ihrem Gram brüte, wie sie oft Wochen lang kein einziges Wort spräche, um ein Gelübde, das sie sich auferlegt, zu erfüllen. Ich hörte, daß sie in Kirchen und an heiligen Stätten, oft halbe Tage vor den Altären auf ihren Knieen betend läge, und mit wunden blutenden Sohlen, die beschwerlichsten Wallfahrten vollbringe. Ich hörte, daß ihre Bekannten sie bald als eine Heilige verehrten, bald als eine halb Wahnwitzige sie vermieden. Das Herz that bei diesen Berichten mir weh, und ich ließ demnach bald davon ab mich nach ihr zu erkundigen, um, da ich hier nicht helfen konnte, meines eignen Gefühles zu schonen.

Mehrere Monate waren auf diese Weise mir vergangen. Ich saß eben in meiner Werkstatt, und malte mit Eifer und Begeisterung an einem Altarbilde, einer Mater Dolorosa, als ein Geräusch mich bewog, von meiner Staffelei aufzusehen. Warlich, im ersten Erstaunen glaubte ich eine geistige Erscheinung zu erblicken, ob außer mir, ob innerlich, von meiner lebhaft angeregten Fantasie gebildet? ich wußte es nicht. Tief verhüllt in dunkle Gewänder, stand eine lange, hagere, weibliche Gestalt vor mir, sie schlug den schwarzen Schleier ein wenig auseinander, ich sah ein todtenbleiches Gesicht, ich sah ursprünglich regelmäßige Züge von tiefem Seelenleiden zerstört, ich sah tief liegende, völlig ausgeweinte, jedes vormaligen Glanzes beraubte Augen, die in alter Zeit wohl eine Welt hätten in Flammen setzen können; es war ein herzzerreißender Anblick! Sie trug unter ihrem Mantel ein wenige Monate altes Kind in den Armen, sie bückte sich und legte es schweigend zu meinen Füßen hin. Als sie sich wieder aufrichtete, erkannte ich erst, an einer ihr ganz eigenthümlichen Bewegung, die arme Gaetana.

‚Meister, ich bringe dir mein erstgebornes Kind,‘ sprach sie. ‚Schmerz und Entsetzen seiner Mutter haben es nicht getödtet, ein Wunder hat es erhalten, und es ist zu Großem bestimmt. Eine Stimme, die wir beide im Leben nie wieder hören werden, hat mir im Traume geboten es dir zu bringen, du sollst es erziehen. Auch meine Stimme verklingt heute für diese Welt, ich werde nie mehr anders als zu Bußpsalmen sie erheben. Meine Stätte im Kloster der büßenden Schwestern ist bestellt, ich trete von deiner Schwelle aus der Welt hinaus, um für die Seele jenes Unglücklichen, der mitten im Taumel der Freude, unversöhnt, ohne geistlichen Segen aus dem Leben gerissen ward, die strengste Buße zu üben.‘

Erschüttert war ich aufgesprungen, alles Ueberredende, was das tiefste Mitleid, der innigste Wunsch, die Unglückliche von ihrem Entschlusse abzubringen, mir eingeben konnte, wurde vergebens von mir angewendet. Das nämliche, den Namen meines edeln Freundes schändende Gerücht, das einst Cölestinens glückliche Jugend trübte, war auch bis zu der armen Gaetana hindurchgedrungen. Die schwärzeste Verläumdung, hatte unter dem Schleier des Wunderbaren, bei dem Volke Glauben gefunden, dem alles Abentheuerliche willkommen ist. Es war mir unmöglich, die verblendete Gaetana zu überzeugen, daß der reine, edle, gewiß jetzt selige Geist unsers Verklärten, weder ihres Opfers noch ihrer Fürbitte bedürfe. Ihre Fantasie war mit dunkeln Schreckbildern erfüllt, ihre Priester hatten ebenfalls das Ihrige dazu gethan, um sie in der qualvollsten Angst um das Heil der Seele ihres Geliebten zu bestärken; und so mußte ich geschehen lassen, was nicht zu ändern stand. Gaetana legte in einem Kloster des strengsten Ordens das schauerliche Gelübde ab, das von jedem Leben außerhalb der düstern Mauern desselben sie trennt; ihr Kind habe ich nach meiner Art erzogen. Und jetzt, edle Gräfin, jetzt möchte ich die arme Lili zu Ihren Füßen hinlegen, wie ihre Mutter einst zu den meinen sie legte. O nehmen Sie sie auf; denn diese letzte zarte Blume, die das Schicksal auf meinem Lebenspfade mir pflanzte, will unter meiner Pflege nicht gedeihen, das sehe und fühle ich deutlich und schmerzlich. Mein Gemüth ist längst dem Leben abgestorben, ich scheide wohl bald gänzlich daraus; Lili bleibt dann ein Fremdling in einer Welt, in der sie leben muß, und in die ich sie nicht mehr einführen kann. Nehmen Sie das Kind auf, um Viktors willen," bat der Alte, sichtbar beklommen über Cölestinens fortwährendes Schweigen.

Cölestine hatte bis jetzt sanft weinend da gesessen. Von ihrem Gefühle überwältigt, vermochte sie es nicht sogleich, dem Meister Hubert zu antworten. „Tausend, tausend Mal willkommen sey mir Ihr liebliches Geschenk, das Kind meiner beklagenswerthen Schwester!" rief sie endlich; „Gaetana ist dem Herzen nach meine Schwester, das spreche ich mit voller Ueberzeugung aus, und Lili soll erfahren, daß ich mich ihr nahe verwandt fühle. Ich will es versuchen die Ungleichheit unsers Geschickes wieder auszugleichen, so viel ich dieses kann. Das nämliche Gefühl, das die arme Gaetana aus der schönen heitern Welt in eine düstre Klosterzelle trieb, das nämliche Gefühl mußte mich Glücklichere in die Arme des edeln Mannes bringen, dem mein ganzes Daseyn durch Liebe und Treue geweiht ist; denn, Hubert! lieber, alter Freund, Graf Czaratowski, den Sie verkennen und verkennen mußten, Graf Czaratowski ist Strahlenfels, ist mein Gemahl. Wie war es nur möglich, daß Sie ihn nicht wieder erkannten?"

Hubert blickte starr, gleich einem halb Träumenden, die Gräfin an. „Bin ich denn dazu verurtheilt, gleich einem Blinden durch das Leben zu wandeln?" hub er endlich an. „Das also war es, was in seiner Nähe, so sehr ich auch dagegen ankämpfen mochte, mir immer so zentnerschwer die Brust belastete. Mein Herz war mir aber dennoch treuer, als diese alten, halb erblindeten Augen," setzte er, gleichsam für sich leise redend, hinzu – „freilich sechzehn Jahre sind eine lange, lange Zeit! Damals stand er rüstig in voller Jugendkraft vor mir, der Schmerz, das Entsetzen haben die hohe Gestalt niedergebeugt, sie haben die braunen Locken vor der Zeit gebleicht; ist doch auch erst seitdem der Schnee des Alters auf mein Haupt gefallen! Ich glaube es wohl, auch er konnte in diesem kraftlosen, zitternden Greise den nicht wieder erkennen, der damals zwischen den Bergen – fort, fort mit der Erinnerung daran, sie thut hier kein gut," rief der Alte, plötzlich heftiger werdend – „nein, nein, edle theure Freundin, ich will Ihnen nicht wehe thun, ich will suchen zu vergeben, kann ich gleich nicht vergessen. Ich danke nur Gott, daß er seitdem jenen Namen abgelegt hat, was denn freilich ihn mir ganz unkenntlich machen mußte, jenen Namen, der die entsetzlichsten Erinnerungen in mir weckte, jenen Namen, dessen barbarischer Klang mein Herz, wie mein Ohr gleich verwundete."

„Er hatte den Namen Strahlenfels schon früher neben dem Seinen geführt, als Bedingung einer, von Seiten eines Bruders seiner Mutter ihm zugefallenen Erbschaft," sprach Cölestine, und war herzlich froh, durch diese Erläuterung die Gedanken des Alten einstweilen von Erinnerungen ableiten zu können, welche ihn zu sehr aufgeregt hatten. „Es war wohl natürlich, daß er nach jener fürchterlichen Katastrophe, seinen eignen Familiennamen im gewöhnlichen Leben völlig ablegte, besonders da er fortan immer in der Fremde lebte. Dieser Name konnte auch in ihm nur die traurigsten Erinnerungen erwekken, und machte ihn obendrein zum Gegenstande allgemeiner Neubegierde, weil das Geschick, welches ihn betroffen, damals bei der Welt noch in frischem Angedenken stand."

„So ist es, so ist es," sprach halb unbewußt der sich allmählig beruhigende Greis.

„Auch mit Ihnen, würdiger alter Freund, ist gewiß seitdem im Aeußern eine große Veränderung vorgegangen, sonst müßte er wenigstens Sie doch erkannt haben," fuhr Cölestine fort. „Monate lang wandelt er nun neben Ihnen her, und ehrt und liebt Sie, als den innigsten Freund unsers Hauses."

„Ich bin überzeugt," fiel Meister Hubert ein, „daß der Graf in Mietau meine und meines Freundes Existenz kaum bemerkt hat, wahrscheinlich hat er nie unsre Namen gewußt, da wir nie in Versuchung geriethen uns ihm nähern zu wollen."

Ein auf dem Flügel im Nebenzimmer leise angeschlagener Accord, verrieth in diesem Augenblick Lili's Nähe. Die arme Kleine, des langen ungewohnten Alleinbleibens müde, hatte aus der nahen Wohnung des Malers sich fortgeschlichen, um den geliebten Meister dort aufzusuchen, wo sie gewiß war ihn zu finden.

Cölestine umarmte das Kind, und drückte es fest an ihre noch immer sehr bewegte Brust. „Lili," sprach der Alte mit fast gebrochener Stimme, „Lili, dir widerfährt heute ein Heil, dessen ganzen Werth du erst später wirst fühlen können, du hast eine Mutter gefunden."

„Mutter?" erwiederte die Kleine verwundert, „ich habe noch nie eine Mutter gehabt."

Indem Cölestine an jenem Abende die Gesellschaft über ihr Verhältniß zu dem unglücklichen Viktor aufklärte, hatte sie mit feinem Takt dennoch Manches unerörtert gelassen, was nicht ganz für jene Versammlung gehörte, und deßhalb hier am Schlusse dieser Erzählung nachgeholt werden soll. Sie hatte zum Theil die Tiefe des Eindruckes verschwiegen, den die Beschreibung des Zustandes, in welchem Mariens unglücklicher Gemahl zurückgeblieben seyn sollte, auf sie gemacht hatte; und dennoch war dieser Eindruck so groß und peinigend gewesen, daß Cölestine gewiß kein Opfer gescheut haben würde, um nur diese Schuld von ihrem unglücklichen Bruder abzuwälzen. Der Wunsch, etwas Näheres von dem Geschick des Gemahls der Todesgefährtin ihres Bruders zu erfahren, quälte sie noch, als sie längst in Paris unter dem Schutze und der Leitung ihrer Tante gelernt hatte, das Leben mit helleren Blicken zu betrachten.

Sie war sechzehn Jahr alt, als Graf Strahlenfels in dem Hause ihrer Tante eingeführt wurde. Die edle imposante Gestalt des ernsten Fremden, die düstre Melancholie, welche gleich einem Trauerschleier über sein ganzes Wesen verbreitet war, machte auf ihr junges Herz großen Eindruck; wie denn überhaupt Erscheinungen dieser Art, für jugendliche

Gemüther gewöhnlich eine eigne Anziehungskraft besitzen. Cölestine konnte es nicht lassen, sich dem Manne zu nähern, der zwar auch ihren Jugendgefährtinnen ein auffallendes Interesse einzuflößen wußte, vor dem aber diese dennoch ein heimliches Grauen empfanden. Niemand wußte den verborgenen Grund des Kummers zu deuten, der ihn drückte; die Sage ging zwar, er traure noch immer um den Verlust einer geliebten Gemahlin, die der Tod schon vor mehreren Jahren ihm von der Seite gerissen, aber er selbst vermied sichtlich ein jedes Gespräch, das auf ein Ereigniß dieser Art hindeuten wollte; und da in seinem Benehmen etwas lag, das jeden unberufenen Frager zurückschreckte: so wurde es der Neugier unmöglich, sein dunkles Geheimniß zu ergründen.

In Cölestinen blitzte zwar zuweilen der Gedanke auf, der düstre Fremde wäre vielleicht gerade jener unglückliche Gatte, dessen furchtbares Geschick seit Jahren ihre Phantasie beschäftigte, und ihr Herz mit theilnehmender Trauer erfüllte; doch alles, was sie von ihm sah und erfuhr, widersprach dieser Vermuthung zu sehr, als daß sie ihr hätte Raum geben mögen; vor Allem der deutsche Name desselben, der so gar keine Aehnlichkeit mit jenem, welschen Zungen unaussprechbaren Namen hatte, den man ihr freilich, bis zum Unkenntlichen verstümmelt, genannt, und die Klarheit, das ernst Verständige in seinem Benehmen, das keine Spur von dem Wahnsinne zeigte, in welchen jener, den sie suchte, der Sage nach verfallen seyn sollte. Von ihrer Tante konnte Cölestine über keinen, Viktor betreffenden Umstand, Auskunft erhalten; denn der Name desselben durfte eben so wenig vor ihr, als ehemals vor seinem Vater genannt werden. Doch, unerachtet der Ungewißheit, in welcher Cölestine, in Hinsicht auf den räthselhaften Fremden, verharren mußte, bemühte sie sich dennoch fortwährend ihn zu erheitern; sie merkte bald wie wohl dieses ihm that; er ward ihr dadurch noch werther, und sie weinte herzlich ihm nach, als er nach einiger Zeit Paris verließ, und mußte seitdem immer mit Theilnahme seiner gedenken.

Einige Jahre vergingen, in denen Cölestine zu immer größerer Vollkommenheit sich geistig und körperlich entwickelte. Viele trugen ihr Liebe und Bewunderung entgegen; doch ihr Herz blieb dabei frei und unbefangen, und das Bild des trüben dunkeln Fremdlings, wurde durch die glänzende fröhliche Gegenwart nie gänzlich aus ihrer Erinnerung verdrängt.

Das herumschweifende Leben, welchem Graf Strahlenfels seit Mariens Verlust sich ergeben hatte, führte ihn endlich wieder nach Paris und zu Cölestinen zurück. Er staunte über die fast unglaubliche Veränderung, welche nur wenige Jahre in ihrer äußern Erscheinung hervorgebracht hatten; doch ihr Inneres war unverändert geblieben, voll Güte und Theilnahme gegen ihn. Täglich fühlte er tiefer, daß dieses reizende liebenswürdige Geschöpf, das einzige Wesen in der Welt sey, welches sein trübes Daseyn erheitern könne; er wagte es Cölestinen dieses zu gestehen, und sie reichte liebevoll ihm die Hand, um mit ihm vereint den Pfad des Lebens zu gehen.

Abermals fiel beim Unterschreiben des Ehekontrakts Cölestinen die Wahrscheinlichkeit ein, daß Graf Strahlenfels der von ihrem Bruder so schwer Verletzte sey, indem sie zum ersten Mal seinen ganzen Namen: Czaratowski, genannt Strahlenfels, ihn unterschreiben sah. Die Aehnlichkeit des Klanges des ersten Namens, mit dem, welchen sie fast ganz unverständlich hatte aussprechen hören, schien ihr unverkennbar; aber so viel Mühe sie sich auch deßhalb geben mochte, so konnte sie doch nie darüber ins Klare kommen; denn der Graf vermied immer, und sogar mit einer Art Aengstlichkeit, jede Erwähnung seiner früheren Ehe und seiner ersten Gemahlin. Aus manchen Andeutungen glaubte Cölestine indessen doch zu errathen, daß ihre Vorgängerin mit einem jungen Abentheurer, in einem strafbaren Einverständniß lange gelebt zu haben beschuldigt sey, und die Möglichkeit, daß Viktor für einen solchen gegolten haben könne, fiel abermals ihr schwer auf das Herz.

Cölestinens heller Geist kannte den düstern Fanatismus nicht, der die arme Gaetana aus der heitern fröhlichen Welt in eine dunkle Zelle getrieben hatte, um mit Aufopferung des eigenen Lebens die Schuld des Geliebten abzubüßen; aber sie gelobte sich dennoch selbst, mit treuer Liebe und unabänderlicher Ergebung, ihrem Gemahl, so viel sie dieses vermochte, das häusliche Glück zu ersetzen, das vielleicht ihr eigner Bruder ihm einst geraubt, um so dessen Schuld, so viel an ihr lag, auszusöhnen. Die seltne liebenswürdige Frau hatte sich damit keine leichte Aufgabe auferlegt, des Grafen ohnehin von jeher zum Argwohn geneigtes Gemüth, war durch das, was er erfahren, durchaus verbittert worden; Mißtrauen erfüllte durchweg seine Seele, und nicht ganz ohne anscheinenden Grund.

Ein unseliger Zufall hatte ihn wirklich in Mietau zum Zeugen jener unheilbringenden Zusammenkunft zwischen Viktor und Marien gemacht, die Hubert in der besten Absicht veranstaltet hatte. Graf Strahlenfels war ungesehen ins Haus und in sein, an Mariens Zimmer anstoßendes Kabinet gekommen. Eine Thüre in letzterm, die ehemals in das Zimmer geführt hatte, welches Marie bewohnte, und jetzt nur mit einer dünnen Tapete verkleidet war, ließ ihn jedes Wort deutlich vernehmen, was die Liebenden sprachen, ohne daß er jedoch sie hätte sehen können. Viktor schien ihm ein Abentheurer von der gefährlichsten Art, der Mariens Unerfahrenheit zu einer verführerischen Großmuthstragödie benutze, und ein halb erstickter Schmerzenlaut, der bei dieser unerwarteten Entdeckung seiner Brust sich entrang, erschreckte damals das unbelauscht sich glaubende Paar.

In jenem entsetzlichen Augenblick verzichtete der unglückliche Graf, sowohl auf das Herz Mariens, als auf sein eignes häusliches Glück; dennoch wünschte er Mariens Ehre und ihre Ruhe zu retten. Er führte sie zu diesem Zwecke zuerst auf seine Güter, hernach auf Reisen. Er war weit davon entfernt sie mit Härte zu behandeln; aber der Dämon des Mißtrauens, blieb dennoch zwischen ihm und ihr; und so tief auch ihr Untergang ihn nachher erschütterte, so war er doch in seinem Herzen fest überzeugt, daß ihr Zusammentreffen mit dem Geliebten in Chamouny kein zufälliges gewesen seyn könne. Der Gedanke, wie schlau jenes anscheinend so kunstlose einfache Wesen es angefangen haben müsse, um ein solches Verständniß dicht unter seinen Augen fortzusetzen, zerstörte vollends allen Glauben an Menschen in seiner Brust.

Cölestinens Liebenswürdigkeit besiegte zwar sein Herz, er liebte sie inniger, zärtlicher als er je Marien geliebt, sie war das Glück, das Licht seines Lebens, aber doch gehörten Jahre des reinsten, vor allen Augen offen daliegenden Wandels dazu, ehe sie sein Mißtrauen überwand. Er schenkte ihr endlich vollen Glauben, aber nur ihr allein. Sie sah ihn noch immer mit düsterm Sinn über seine Vergangenheit brüten, und die leicht zu reizende Verletzbarkeit, die aus dieser ihm geblieben war, überstieg allen Glauben, und trübte oft die einsamen Stunden, der vor der Welt immer heiter lächelnden Frau.

Daher war Huberts Erscheinung ihr ein unaussprechlicher Trost, als er ohne es zu wissen, das Leben des geliebten Bruders in aller seiner Reinheit vor ihren Augen entfaltete. Mariens letzte Zeilen gewährten den augenscheinlichsten Beweis für die heilig bewahrte Unschuld des unglücklichen Paares, sie mußten den Grafen auf das Ueberzeugendste von seinem, seit Jahren gehegten Argwohn heilen, und seinem Gemüthe die lang entbehrte Ruhe wiedergeben.

Als Meister Hubert nach einigen Wochen von einer Landreise heimkehrte, die er am Tage nach jenem Abende mit den Aeltern einer seiner Schülerinnen unternommen, fand er die schöne Frau an der Seite ihres Gemahls, in ihrem Kabinet, und aus ihren milden, lieben Zügen leuchtete der Schimmer des allerfriedlichsten Glückes. Viktor und Mariens Bildniß in einen Ramen vereint, schmückten die Wände des Zimmers, und Lili, die nicht ohne Widerstreben bei der Gräfin zurückgeblieben war, saß ihr zu Füßen, und bemühte sich unter ihrer Leitung, eine feine weibliche Arbeit zu erlernen. Beim Anblicke des geliebten Meisters warf sie Arbeit und Alles hin, und flog in seine Arme, aber Worte hatte sie nicht.

Graf Strahlenfels war bei dem Eintritte des Alten aufgestanden, er ging ihm entgegen, und bot mit beinahe feierlichem Anstande ihm die Hand.

„Ich begrüße Sie als den guten Geist, der gesendet wurde mir Frieden zu bringen," sprach er. „Sie lösten mir das Räthsel meines Lebens, die Schatten die es umdunkelt hatten, sind gewichen, Sie haben der Menschheit, dem Glauben, mich wiedergegeben; wie soll ich danken, wie gut machen, was ich an jenem verklärten Paare, an Ihnen, und selbst an diesem meinem guten Engel hier, oft und mannichfaltig gesündiget? Rechnen Sie meine Schuld mir zur Strafe an; ach! ich habe mehr gelitten, als ihr Alle; darum sey mir vergeben: denn Mißtrauen ist eine Schlange, die den verzehrt, der sie im Busen trägt."

Zu dieser Ausgabe

Die Novelle *Der Schnee*, von der eine Handschrift nicht erhalten ist, wurde zuerst Ende 1825 in dem Band *Minerva. Taschenbuch für das Jahr 1826* (18. Jg., Leipzig: G. Fleischer, S. 333–472) veröffentlicht. Nur in diesem Erstdruck trägt sie den Untertitel *Eine Erzählung*. Johanna Schopenhauer hat die Novelle dann in den 5. Teil der achtteiligen Sammlung ihrer *Erzählungen* (Frankfurt/M.: J. D. Sauerländer, 1827, S. 1–208) aufgenommen, schließlich in den 23. (vorletzten) Band ihrer *Sämmtlichen Schriften* (Leipzig: F. A. Brockhaus, Frankfurt/M.: J. D. Sauerländer, 1831, S. 165–328). Der Text dieser Ausgabe letzter Hand kann als autorisiert gelten; die Autorin hat sie offenbar vorbereitet und überwacht: Am 27. Oktober 1831 schrieb Adele Schopenhauer an Arthur, daß „die Mutter fleißig arbeitet an der Herausgabe der sämmtlichen Werke" (Die Schopenhauers. Der Familien-Briefwechsel von Adele, Arthur, Heinrich Floris und Johanna Schopenhauer. Hg. und eingeleitet von Ludger Lütkehaus. Zürich 1991, S. 319).

Der Novellentext in den *Sämmtlichen Schriften* enthält gegenüber den ersten beiden Drucken zahlreiche, wenn auch nur unbedeutende stilistische Verbesserungen. Darum ist diese letzte Fassung Grundlage des vorliegenden Abdrucks. Bei den meisten jener Änderungen handelt es sich um bloße Umstellungen von Satzgliedern. Eine Auswahl weiterer Varianten, die sich bis auf zwei Ausnahmen nur im Erstdruck finden, sei hier mitgeteilt: 8 Erscheinungen] geheimnißvollen Erscheinungen – 10 lieben Mädchen] lieblichen Mädchen –

15 die von ihm verlangte Erzählung] zu erzählen (auch in: *Erzählungen*) – 15 Land] herrliche Land – 15 verschönte] veredelte, verschönte – 28 ihm entgegen] freudig ihm entgegen – 28 Brust] Brust, seine Lippe schwieg – 29 Hinderniß] Hinderniß auf dem Wege zum Glücke – 31 Lande] fernen kalten Lande – 44 darzustellen] mildernd darzustellen – 53 plötzlich] plötzlich noch in der Blüthe der Jahre – 57 Begränzung] Beengung (auch in: *Erzählungen*) – 62 nie] wunderbares, von mir nie.

Erheblich geändert vom Erstdruck zur Letztfassung wurde die Interpunktion. Oft sind Kommata vor erweiterten Infinitiven und zwischen adjektivischen Attributen gestrichen worden. Umgekehrt sind zahlreiche Kommata eingefügt. So wurden in dem Satz „Cölestinens sehr ernstlich ausgesprochner Wunsch versammelte schon am nächstfolgenden Tage die nämliche Gesellschaft des vorigen Abends wieder in ihrem Zimmer" (S. 41) in den *Sämmtlichen Schriften* drei Beistriche gesetzt (hinter „Wunsch", „Tage", „Abends"), von denen besonders die beiden ersten, zwischen Subjekt, Prädikat und Objekt stehenden den grammatischen Zusammenhang zerreißen. Diese Kommasetzung ist jedoch nicht regellos, sondern folgt damals verbreiteten Konventionen, wenn auch in extremer Konsequenz. Im zitierten Beispiel und in ähnlichen Fällen sind es mit Adjektiv- oder Genitivattributen versehene Substantive sowie adverbiale Bestimmungen, die durch die Kommata abgetrennt sind. Zu berücksichtigen ist, daß Kommata bis etwa in die 1820er Jahre weniger eine logisch-syntaktische als vielmehr eine rhythmisch gliedernde Funktion hatten, also kurze Redepausen bezeichneten. In unserer Ausgabe blieb die Zeichensetzung der Vorlage grundsätzlich bewahrt, auch jedes störende Komma.

Ebenso blieb die Orthographie des Originals unangetastet. Dies gilt zumal für die zahllosen Schwankungen der Schreibung (Groß- und Kleinschreibung, Apostrophierung usw.) innerhalb des Textes, da nicht zu entscheiden ist, in welcher Richtung zu vereinheitlichen wäre. Geht man nach dem Autorwillen, so scheint Vereinheitlichung geboten; doch bei den vielen Fällen, die wohl eher auf Unentschiedenheit und Unsicherheit der Autorin beruhen als auf Unaufmerksamkeit, mußten die Inkonsequenzen erhalten bleiben. So stehen nebeneinander „zum ersten Male"/„zum erstenmale", „Alles"/„alles", „Kniee"/„Knie", „erwiederte"/„erwiderte", „deßhalb"/„deshalb" usw., auch Fremdwörter wie „Phantasie"/„Fantasie", „Sekretair"/„Sekretär", „Gouvernante"/ „Gouvernannte", „triumphirend"/„Triumpfzuge" usw., selbst Namen: „Montblanc"/„Mont Blanc", „Czaratowski"/ „Czaratowsky" (S. 54f., 75). Zweifelhaft sind, da nur einmal vorkommend: „übermahlen" (S. 29), „schwühlen" (S. 34), „gelämt" (S. 36), „manichfacher" (S. 52), „Ramen" (S. 102).

Lautliche Schwankungen blieben ebenfalls bewahrt: „Tannengebüsch"/„Tannengebüsche", „meines Viktors"/„meines Viktor", vgl. „Viktor und Mariens" (S. 102). Nicht als Fehler anzusehen sind ferner folgende Formen, die auch anderswo, zum Teil in den ersten Drucken, belegt sind: „anspruchlose" (S. 6) u.ä., „von Hörensagen" (S. 18), „einige [...] gekleideten Bedienten" (S. 27) u.ä., „verabscheidendes" (S. 30), „Thürposten" (S. 31), „mit Niemanden" (S. 35), „im kurzem" (S. 35), „Assambleen" (S. 67), „prophezeihen" (S. 73), „verwildeter" (S. 78), „Steingerülle" (S. 81). Zweifelhaft sind: „flüchtigen" (S. 39) statt „flüchtige", „eigenthümlich" (S. 91) statt „eigenthümlichen".

Dagegen wurden Textfehler – unter vergleichendem Rückgriff auf die ersten Drucke – verbessert, und zwar außer eindeutigen Druckfehlern (vom Typ „uud", „lastetete", „eleganste") auch die folgenden: 6 gealterter] gealteter – 21 halb auf] halbauf – 28 las] laß – 37 Augenblicks] Augenbliks

(völlig singulär) – 56 vernehmen] vornehmen – 56 daß es] das
es (völlig singulär) – 68 und überschwengliche] unüber-
schwengliche – 72 solche] gleiche – 77 Spaziergang] Spaziergange – 88 einem Wesen] einen Wesen – 89 unverständlich;]
unverständlich: – 91 Ihre] ihre – 93 getödtet] getödet –
98 welchen] welchem.

Die Anführungszeichen, die im Original innerhalb direkter Rede am Anfang und am Ende jedes Absatzes stehen, sind
entfallen. Direkte Rede (einschließlich der Briefzitate) innerhalb direkter Rede sind nur durch halbe Anführungszeichen
gekennzeichnet; Inkonsequenzen sind beseitigt. Frakturtext
der Vorlage ist in Antiqua wiedergegeben, Antiquatext in
Kursive.

Nachwort

Bekannt als ‚Verfasserin der *Gabriele*' – Goethe hatte ihren Erstlingsroman lobend rezensiert –, war Johanna Schopenhauer in den 1820er Jahren eine vielgelesene Schriftstellerin. Es herrschte starke Nachfrage nach Lesestoff, besonders für ein großes weibliches Publikum; beliebt waren die vor allem Novellen enthaltenden „Taschenbücher". Einige Monate nach der Erstveröffentlichung ihrer Erzählung *Der Schnee* im Taschenbuch *Minerva* für das Jahr 1826 schrieb die Autorin, sie möchte „gern einmal etwas anderes ernsteres, bedeutenderes unternehmen als diese Kalender-Geschichtchen zu denen die Herrn Verleger einen nur zu leicht verlocken"[1]. Freilich war sie zu einer fast fabrikmäßigen Produktion gezwungen, um sich und ihrer Tochter den Lebensunterhalt zu sichern, zumal sie durch den Bankrott eines Danziger Bankhauses 1819 nahezu ihr gesamtes Barvermögen verloren hatte. Einen letzten Höhepunkt ihres schriftstellerischen Erfolges brachte ihre Werkausgabe von 1830/31[2], bevor ihre Popularität rasch abnahm und sie 1837 beim Großherzog von Sachsen-Weimar um eine Pension ansuchen mußte. Ihre vier Romane (*Gabriele*, *Die Tante*, *Sidonia*, *Richard Wood*) gerieten in Vergessenheit; keine ihrer 35 Novellen wurde nach ihrem Tode bis jetzt wieder aufgelegt. Die Forschung hat sich mit ihrem erzählerischen Werk kaum befaßt[3].

Der Roman *Gabriele* (1819/20), so erläuterte die Verfasserin im Vorwort, biete „willkührliche Zusammensetzungen einzelner Studien nach Gegenständen, wie sie mir auf dem Lebenswege begegneten, die ich nach Gefallen trennte und vereinte, so daß oft zu einer meiner Figuren mehrere Individuen und Oertlichkeiten beitragen mußten"[4]. Dieser Hinweis auf frei arrangierte autobiographische Elemente läßt sich auf ihre anderen belletristischen Werke übertragen. Ähnlich wie Gabriele und Cölestine in der Erzählung *Der Schnee* war Johanna Schopenhauer, kurz nachdem sie Ende September 1806 in die Residenzstadt Weimar übersiedelt war, bald bekannt und beliebt als Gastgeberin von Abendgesellschaften, in denen sich ein „eingeladener Kreis" (S. 7) von Künstlern und Gelehrten traf; und da sich auch Goethe regelmäßig einfand, konnte sie behaupten: „der Zirkel der sich Sonntags u Donnerstags um mich versammelt hat wohl in Deutschland und nirgends seines gleichen"[5]. Als *Der Schnee* Ende 1825 erschien, lag diese Glanzzeit ihres Salons jedoch schon mehr als ein Jahrzehnt zurück. 1829 verließ sie Weimar und wohnte fortan sommers in Unkel am Rhein, winters (und später ganzjährig) in Bonn. 1837 zog sie nach Jena.

Bis nach dem Tod ihres Mannes im April 1805 hatte Johanna Schopenhauer in Hamburg gelebt, wohin die Familie 1793 emigriert war, als ihre Heimatstadt Danzig von Preußen annektiert wurde. Als erste von vier Töchtern des wohlhabenden Kaufmanns und Ratsherrn Christian Heinrich Trosiener und seiner Frau Elisabeth war sie am 9. Juli 1766 in der Danziger Heiligegeistgasse geboren worden. Aus ihrer 1785 geschlossenen Ehe mit dem angesehenen Danziger Kaufherrn Heinrich Floris Schopenhauer waren ein Sohn und eine Tochter hervorgegangen: Am 22. Februar 1788, in derselben Danziger Gasse, wurde der als Philosoph berühmt gewordene Arthur geboren, am 12. Juni 1797 Adele, die spätere Schriftstellerin. Ihre Jugend- und ersten Ehejahre in Danzig schilderte Johanna Schopenhauer in ihrem bis heute lebendigen letzten Werk, an dem sie bis zu ihrem Tod am 16. April 1838 in Jena arbeitete: *Memoiren aus meinem*

Leben. Wahrheit ohne Dichtung. Während sie mit dieser Überschrift auf Goethe anspielte und wohl auch auf ihre eigene Neigung, Fiktives mit Autobiographischem anzureichern, gab Adele das Fragment postum unter dem Titel *Jugendleben und Wanderbilder* heraus[6]. In diesen kulturhistorisch bemerkenswerten Erinnerungen zeigt sich Johanna Schopenhauer als aufmerksame und kritische Beobachterin ihrer Zeit.

Vor dem Hintergrund der Zeitgeschichte läßt die Erzählerin auch die Handlung der Novelle *Der Schnee* ablaufen, obwohl sie Jahreszahlen nicht nennt. Der Name „Czaratowski" setzt sich zusammen aus ‚Czar'toryski und Poni,atowski', den Magnatenfamilien, denen Stanisław August Poniatowski (1732–1798), polnischer König von 1763 bis 1795, und dessen Mitbewerber um den Thron und späterer Opponent Adam Kazimierz Czartoryski (1734–1823) entstammten. Etwa um jenes Jahr 1763 setzt die Vorgeschichte ein: Der Vater Graf Amadées verläßt aus „politische[n] Gründe[n]" seine Heimat Polen (S. 43), wo „jeder" Adlige zum „König" gewählt werden konnte (S. 50), und geht ins Herzogtum Kurland, das damals, ähnlich wie die Stadtrepublik Danzig, zur polnischen Krone gehörte[7]. Wie viele kurländische Adlige im 18. Jahrhundert studiert Amadée an einer deutschen „Universität" (S. 42f.)[8], ebenso sein Sohn. Dessen Vorname Stanislaus verweist auf den polnischen Monarchen, der Beiname „Strahlenfels" (im Erstdruck „Sternfels") auf deutschbaltische Abstammung mütterlicherseits (S. 96). Sein „edler" (S. 95, 97), melancholischer Charakter macht ihn zu einem Vertreter des ‚edlen Polen', wie er in der Zeit nach den Teilungen Polens als literarischer Typus oft anzutreffen ist[9], ähnlich wie den „edeln" Amadée (S. 46) und auch den Grafen Casimir in Johanna Schopenhauers Novelle *Meine Großtante* (1831). Seinem – damals so interpretierten – ‚Nationalcharakter' entsprechend, liebt Stanislaus die „Pracht", die sich besonders in einer großen „Dienerschaft" entfaltet (S. 54), welche die Autorin ihren *Memoiren* zufolge an den polnischen Adligen in Danzig beobachtete. Dabei ist er streng gegen sich und andere, von „Ernst" und „Pflichtgefühl" durchdrungen (S. 52), so daß er dem verbreiteten Stereotyp angeblicher polnischer Neigung zu Leichtsinn und Lebenslust widerspricht. Gemäß dem damaligen Bild des ‚typischen' Polen sind sein Vater, sein Großvater und er selbst Patrioten (S. 50). Der Zwanzigjährige (S. 48) beteiligt sich – genauso wie der polnische Graf Stanislaus in E. T. A. Hoffmanns Erzählung *Das Gelübde* (1817) – an dem Aufstand, den Tadeusz Kościuszko am 24. März 1794 in Krakau ausrief und „anfangs" erfolgreich führte, bevor er am 10. Oktober desselben Jahres bei Maciejowice „entscheidend" geschlagen wurde (S. 50). Noch nach seinem Tode 1817 wurde Kościuszko in Deutschland als „Held" (S. 50) der Freiheit gefeiert. Als der polnische Aufstand auch Teile Kurlands erfaßte[10], erklärten viele kurländische Adlige Kościuszko ihre Loyalität; doch Plünderungen und Gewalttätigkeiten kurländischer Bauern ließen sie bei der russischen Streitmacht Hilfe suchen. Sie sagten sich von ihrem Lehnsherrn, dem polnischen König, los und unterwarfen sich im April 1795 der Zarin. Zeitgleich mit der Vernichtung der staatlichen Existenz Polens, 1795, wurde Kurland, dessen Herzog abdankte, russisches Gouvernement. Katharina II. bestätigte die Privilegien der kurländischen Ritterschaft, die ihr Eigentum behielt. So schwenkt auch Graf Amadée zur neuen Staatsmacht um, und ihm verbleiben seine „Besitzungen in Kurland" (S. 51). Sein Erbe Stanislaus tritt als Diplomat in den Dienst „seines Kaisers" (S. 51): Zar Paul I. war Ende 1796 auf Katharina II. gefolgt.

Im Sommer etwa des Jahres 1798 treffen sich die Reisewege

Maries und Viktors in „Chamouny" (Chamonix) im Herzogtum Savoyen, das der sardinische König Viktor Amadeus III.
– beide Vornamen kommen in der Novelle vor – 1796 an
Frankreich abtreten mußte. Genau ein Jahr nach der ersten
Begegnung trifft Viktor Marie dort nicht an; „einige Monate"
später, demnach im Herbst 1799, verläßt er endgültig Rom
und Italien, das von „Unruhen" heimgesucht wird (S. 60):
Das Volk der 1798 proklamierten Römischen Republik litt
unter der französischen Herrschaft wie unter der Besetzung
durch die Neapolitaner; eine Hungersnot im Sommer 1799
führte zu Aufständen. Revoltierende Bauern marschierten
gegen die Städte. Die meisten in Rom lebenden deutschen
Künstler flohen – wie später Hubert – in die Heimat[11]. Im
darauffolgenden späten Winter, somit 1800, erreicht Hubert
Kurlands Hauptstadt „Mietau" (Mitau, lettisch Jelgava), wo
er dem „neuen Gouverneur" begegnet, einem „vornehmen
Russen" (S. 62 f.). Tatsächlich war ein aus Moskau gebürtiger
Adliger namens Arseniew seit Ende 1799 Vizegouverneur
und, als einziger Russe unter den Inhabern dieses Amtes, von
Oktober 1800 bis 1808 kurländischer Gouverneur[12]. „Anfang" Mai (S. 77) des folgenden Jahres, 1801, treffen Hubert
und Viktor wie vor fast „drei Jahren" (S. 75, 80) in Chamouny
auf Marie, „zwei" (genau 1¼) Jahre nach Huberts Abreise
nach Mietau (S. 73). Die Handlung um die damals höchstens
„zwölf Jahr alt[e]" Cölestine (S. 89) mündet in die Gegen-
wartshandlung, die „sechzehn Jahre" später spielt (S. 75
u. ö.), also 1817, so daß die ungefähren Altersangaben am
Anfang der Novelle damit zusammenstimmen.

Viele Figuren ihrer Erzählprosa läßt Johanna Schopenhauer, die zunächst hauptsächlich als Reiseschriftstellerin
hervortrat, ausgedehnte Reisen nach realen Orten unternehmen. Dabei nutzt sie die Gelegenheit, Schilderungen von
‚Merkwürdigkeiten', landestypischen Gebräuchen und Ku-

riositäten, Faktisches mit Fiktivem mischend, in die Handlung einzuflechten. Im *Schnee* sind die gegensätzlichen Schauplätze – Italien und Kurland, dazwischen der Alpenort Chamouny – mit ihrer über die Realität hinausweisenden Symbolik wichtige Strukturelemente.

Die Alpen[13], seit Hallers gleichnamigem Lehrgedicht besonders die Hochgebirgslandschaft der Schweiz, waren bei den Zeitgenossen beliebt als Ziel schwärmerischer Sehnsucht und Gegenstand meist empfindsamer Reiseliteratur und Dichtung. Viel besucht wurde der Schauplatz von Rousseaus *Nouvelle Héloïse*, der Genfer See, und der Abstecher ins Tal von Chamonix am Fuß des Montblanc wurde Mode. Über die Gegend informierten Reiseführer wie die von Saussure, der Europas „höchsten" Berg (S. 25) 1787 als zweiter Mensch bestiegen hatte, und von Ebel[14]. Mit den „Beschreibungen", die Marie (um 1798) „gelesen" hat (S. 57), sind sicher nicht zuletzt Goethes *Briefe aus der Schweiz*[15] gemeint, in denen er über seinen Ausflug von Genf nach „Chamouni" im November 1779 berichtete. Goethe hatte das Farbenspiel der auf- und untergehenden Sonne auf dem schneebedeckten Montblanc-Massiv hervorgehoben, dessen Schönheit von einem menschlichen Auge kaum faßbar sei. Die über den Wolken „in der Verklärung" schimmernden Gipfel schienen ihm „zu einer höhern Sphäre zu gehören". Zu den damals so beliebten Berichten über das abgelegene Bergtal gehörten auch die poetischen Reisebeschreibungen von Sophie von La Roche, Friederike Brun, Friedrich von Matthisson und Elisa von der Recke[16].

Die topographische Detailkenntnis hatte Johanna Schopenhauer selbst erworben: Zusammen mit ihrem Mann, der Handelsbeziehungen nach Frankreich und England unterhielt, und mit Arthur unternahm sie von Mai 1803 bis August 1804 eine ausgedehnte Reise in das westliche Europa und die

Alpenländer. Wie die Maler in der Erzählung reiste man „von Genf [...] nach dem Thale von Chamouny" (S. 24). Umgekehrt will eine Reisegesellschaft von dort „über Lyon in das südliche Frankreich" gelangen (S. 75). Damit ist auf den Titel des Berichtes *Reise von Paris durch das südliche Frankreich bis Chamouny*[17] angespielt, den Johanna Schopenhauer 1824 publizierte. Der Gesamteindruck und viele Einzelheiten der Naturbeschreibung im *Schnee* stimmen mit den Formulierungen in diesem Bericht überein, dessen Sprachstil fast ebenso schwärmerisch ist wie der seiner genannten Vorbilder. Die Verfasserin selbst war es, die die „hohe göttergleiche Riesengestalt" des von „reinem ewigen Schnee" gekrönten Montblanc so anzog: „Seit wir den Montblanc aus der Ferne gesehen hatten, war der Wunsch, ihn in seiner undenkbaren Majestät und Größe in der Nähe zu bewundern, bis zum Unwiderstehlichen in uns aufgeregt". Unterwegs orientierte man sich am Anblick des Berges, ähnlich wie Hubert und Viktor:

Vor uns [...] leuchtete der Montblanc [...] und um ihn her die höchsten Gletscher und Schneegebirge von Savoyen, über die er das königliche Haupt stolz erhebt. [...] Die allmählich sinkende Sonne kleidete ihn in bleiches Rosenroth, das allmählich zu dunklerem Purpur erglühte, und leichte amethystenähnliche Sommerwölkchen umflatterten spielend seinen [...] Gipfel. Uns war, bei dieser nie geahnten Pracht der Natur, als befänden wir uns in einem Zauberlande.

Diese Schilderung im Reisebericht kehrt in der Novelle teils wörtlich wieder (S. 24 f.); sie beruht offenbar auf der Aussicht aus dem Fenster eines Wirtshauses nahe „Sallenches" (Sallanches), die auch die beiden Maler genießen (S. 26) und die Arthur Schopenhauer in seinem Tagebuch, das er während der Reise führte, so beschrieben hat:

Die untern Spitzen waren von Wolcken umflogen, aber der Gipfel war unbewölckt: nachdem im Thal die Sonne schon verschwunden war, wurde der Berg nach u. nach roth, u. immer röther, Rosenfarb, Orange, u. erblaßte dann schnell: u. nachdem es schon finster war, sahen wir noch lange den weißen Schimmer der entsetzlichen Schneemasse.[18]

Nicht immer waren die Berge sichtbar; auch dies schilderten Johanna und Arthur mit ähnlichen Worten, wie sie Hubert in den Mund gelegt werden (S. 26). Fast textgleich in Novelle und Reisebericht ist ferner die Beschreibung des Wasserfalls d'Arpenaz (S. 25): „*Nant* heißt hier zu Lande jeder bedeutende Felsbach [...]. Von einer Höhe von 800 Fuß [...] stürzt der *Nant d'Arpenas* hier ganz nahe am Wege, in einem Regen von Diamanten verwandelt, senkrecht hinab"[19]. Der Vergleich mit dem durch Goethes Gedicht *Gesang der Geister über den Wassern* berühmten Staubbachfall im Kanton Bern (S. 25) wird – nach Goethes *Briefen aus der Schweiz* – ebenfalls im Reisebericht gezogen[20].

Als die ersten Gäste der Saison 1804 trafen die Schopenhauers auf einem „Char a banc" (S. 27, 75)[21] an ihrem Ziel Chamonix ein. „Im Sommer", notierte Arthur, werde „das Dorf so wie ein Bade-Ort besucht" und sei „wircklich Sammelplatz von Fremden", denen „ungefähr sechzig Führer" zu Diensten stünden[22]. Einer von ihnen, „*Victor Terraz* aus *Chamouny*", den Mutter und Sohn fast übereinstimmend beschrieben, war vermutlich das Vorbild für den Novellenhelden. „Unser Führer *Victor*", so hielt Arthur im Tagebuch fest, „war der schönste Mann den ich mich erinnre je gesehn zu haben: er ist jetzt vier und zwanzig Jahr alt, von beynah riesenmäßiger Größe, dabey in der schönsten Proportion, u. hat ein schönes männliches Gesicht". Johanna Schopenhauer erwähnt die Bergführer sowohl im Reisebericht wie im *Schnee*, daneben die armen Bauern, Gemsenjäger und Ziegenhirten; und sie vergißt auch den Dorfpfarrer nicht (S. 83), der „ehemals die Reisenden in seiner Hütte gastlich empfing, ehe ihre zu große Anzahl die Errichtung von drei Gasthöfen im Dorfe nöthig machte", deren „bedeutendster" – in der Novelle ist nur von einem die Rede – die Schopenhauers beherbergte[23].

Die Autorin läßt Viktor und Marie vom Gasthof aus Wanderungen nach denselben Zielen unternehmen, die sie und ihr Sohn selbst aufsuchten. Die Schopenhauers erstiegen das Gletschertor des Bois-Gletschers mit der „Quelle des Arveiron" (S. 27, 40) – wie Marie ritt Johanna auf einem „Maulthier" (S. 27) – und den Bossons-Gletscher am Fuß des Montblanc. Der Beschreibung, die Hubert von seiner Suche nach den auf diesem Eisfeld Vermißten gibt (S. 80–82, 85), entspricht die Schilderung im Reisebericht:

Nie werde ich des zauberhaften Anblicks vergessen, als wir nun aus den Tannen hervortraten. Unzählige größere und kleinere Pyramiden vom reinsten Eis [...] thürmten sich vor uns auf, [...] ein breiter Gürtel von Steinen, wie man um alle Gletscher ihn findet, trennte diese blendende Pracht von dem grünen Teppich der Wiese. [...] Ueber uns der Montblanc [...]. Wir stiegen zwischen den crystallenen Pyramiden hinauf, bis eine weite Eisfläche sich vor uns ausbreitete, über welche man gewöhnlich geht, um [...] wieder hinab in das Thal zu gelangen. Dichter Schnee verdeckte aber noch die vielfachen Höhlungen und Spalten des Eises, in die hinabzusinken unausbleiblicher Tod gewesen wäre; unsere Führer mochten es daher nicht wagen, uns hinüber gehen zu lassen.

Der Besuch des Grabmals für einen in einer Gletscherspalte Verunglückten hat Johanna Schopenhauer offenbar beson-
ders erschüttert. Der junge Dichter Friedrich August Eschen, den sie aus Hamburg kannte, war im August 1800 nahe Chamonix auf diese Art ums Leben gekommen. Auf Weisung

des französischen Präfekten hatten die Bergführer die Reisenden auf die Aufschrift des Monuments hinzuweisen, die alle, „die hier an seinem Grabe schaudernd weil[t]en", ermahnte, „sich in den wilden Gebirgen nie von ihren Führern zu entfernen". Die Erzählerin läßt Hubert solche Warnungen überhören; tödlich sind jedoch nicht die „fürchterlichen Eisspalten", sondern ist, dem Symbolwert des Schnees entsprechend (dazu unten), eine Lawine.

Der Aufenthalt der Schopenhauers in Chamouny fiel in den Mai (15. bis 17.), in denselben Monat also wie Viktors und Maries letzte Begegnung. Johanna Schopenhauer hat die in jener Jahreszeit häufigen „Lawinen" selbst beobachtet. Mehrmals beschreibt sie das vom Echo verstärkte, „feierliche Donnern" fallender Eis- und Schneemassen, das in der Novelle als wiederholte Vorausdeutung fungiert (S. 28, 76, 83). An der Metaphorik aus dem Bildbereich Tod und Ewigkeit läßt sich erkennen, daß der Keim der Novelle in ihrem Erlebnis am Rande des „ewigen Eismeer[es]" liegen muß:

Die höchsten Gebirge, in ihrem blendend weißen ewigen Wintergewande standen rings umher, [...] neben dem Montblanc [...] das ganze Reich dieser mit unvergänglichem Eise umpanzerten Titanenwelt.

Wir schauderten; das Bild des Untergangs von so manchem, der in dieser Einöde den Tod fand, stieg in furchtbarer Deutlichkeit vor uns auf; [...] der ferne Donner der Lawinen unterbrach von Zeit zu Zeit das lautlose Schweigen dieses weiten starren Grabes, dieses Tempels des ewigen Schweigens.

In den Reiseberichten auch der anderen erwähnten Verfasser von Goethe bis Elisa von der Recke findet man eine Fülle vergleichbarer Landschaftsbeschreibungen. Der Blick von Sallanches auf das Montblanc-Massiv, die von Steinwällen umrandeten Gletscher, das Eisgewölbe mit dem Ausfluß des Arveiron, auch der Weg hinüber ins Wallis „nach Martigny" (S. 79) – all das wird immer wieder hervorgehoben und in bildkräftiger Sprache beschrieben. Gesucht und dargestellt in empfindsamen Schilderungen von Alpenreisen, gleich ob in Deskription oder Fiktion, wurde das Gefühlserlebnis. Die hochalpine Landschaft war Auslöser und Projektionsfläche extremer Gefühle zwischen Freiheit und Ergriffenheit einerseits, Bedrohung und Schrecken andererseits. Reizvoll erschien der Stimmungswechsel von der Betrachtung des als lieblich empfundenen Tals zu dem Furcht und Entsetzen erregenden Anblick der Gipfelwelt. „Es ist ein so schöner Abstand", notierte Arthur Schopenhauer, „zwischen den grünen friedlichen Thälern [...] u. den schrecklichen Massen von Felsen, Schnee u. Eis, wild durcheinandergeworfen, [...] die wie ein drohendes Schreck-Bild hingestellt scheinen"[24]. Die Autorin selbst beeindruckte die „schauerliche Pracht" der „erhabensten aber auch furchtbarsten Erscheinungen der Natur"[25], und beide Aspekte kennzeichnen im *Schnee* symbolhaft den Handlungsschauplatz.

Daß andere Zeitgenossen diese Ästhetik des Kontrasts ebenso empfanden, ist oft belegt. Friedrich Leopold von Stolberg erblickte den „Montblanc [...] in blendender Schönheit und furchtbarer Größe"[26]. In Gedichten Matthissons, *Der Alpenwanderer* und *Alpenreise*, sind Wunschbild und Schreckbild ausdrücklich einander gegenübergestellt: die „Herrlichkeit", aber auch die „gräßliche[n]" Gefahren der „Schneewelt"[27]. Zu Friederike Bruns Klopstock gewidmetem Gedicht *Chamouny beym Sonnenaufgange* heißt es erläuternd, der Ort werde wegen „seiner romantischen, im Kontrast der wildesten Naturszenen mit den sanftesten Schönheiten abwechselnden Lage" von Reisenden aufgesucht[28]. Ein Freund des verunglückten Eschen schrieb:

Endlich gingen wir gleichsam in das Allerheiligste ein, um das Erhabenste zu schauen, was das menschliche Auge zu fassen vermag, und wonach wir uns so lange gesehnt hatten, wir wanderten nehmlich zum Thal von Chammouny, über welches sich der Montblanc mit allen seinen Brüdern erhebt. Dies überstieg alles, was wir je gesehn und geahndet hatten.[29]

Auch im *Schnee* stehen die Alpenberge in Verbindung mit dem Sakralen: sie werden aufgesucht als der „erhabenste Tempel" Gottes (S. 74, 86), Ort feierlichen Abschieds. Die Autorin erfüllte der Blick von der Höhe hinab nicht nur „mit Grausen", sondern zugleich mit „hoher Bewunderung und stiller Andacht"[30]; die Alpen werden zum „Wunderland" (S. 24).

Gegenüber Savoyen als dem Land des Übergangs zwischen Nord und Süd erscheint der hohe Norden, das „trübe" und „traurige" Kurland (S. 72), noch wesentlich unwirtlicher. Auf Maries trostloses Dasein an der Seite des „düstre[n]" Stanislaus (S. 52, 97f. u. ö.) beziehen sich vorausdeutend Viktors Visionen vom „düstern Schrecken" des Nordens (S. 18). Die Entfernung und die klimatischen Unterschiede zwischen Rom und Mietau entsprechen der Gegensätzlichkeit der beiden Männergestalten. Kenntnisse über Kurland und seine Gesellschaft mag Johanna Schopenhauer durch ein Ehepaar von Korff bezogen haben, das sie 1821 in Karlsbad kennenlernte[31], oder auch durch die gleichfalls aus Kurland stammende Schriftstellerin Elisa von der Recke (1754–1833)[32]. Diese Schwägerin des letzten Herzogs von Kurland, die in Dresden einen Salon unterhielt, war der Weimarerin über Freunde (Goethe, Böttiger, Müller von Gerstenbergk) und auch persönlich bekannt; Johanna Schopenhauer erwähnt sie in ihren *Memoiren* und wechselte Briefe mit ihr. An der vergleichsweise blaß bleibenden Naturdarstellung ist zu erkennen, daß die Autorin selbst nie in Kurland gewesen ist.

Gleiches gilt für das entgegengesetzt bewertete Land Italien. Johanna Schopenhauers Tochter schrieb im Winter 1819 an den in dem „ersehnte[n] Land" weilenden Bruder: „Wir gewöhnen uns, Rom und Italien, weil es *uns unerreichbar* ist, unerreichbar *fern* zu glauben"[33]. „Sie wird die ewige Roma sehen, nach der mein sehnender Geist so oft vergeblich die Flügel schwingt", läßt die Autorin in ihrer Erzählung *Die Reise nach Italien* eine Deutsche über eine Mitauerin sagen[34]. Während die Romantiker E. T. A. Hoffmann und Eichendorff, die ebenfalls Italien nie erblickten, ein ambivalentes Bild dieses Landes zeichneten, eines Sehnsuchtszieles mit reizvollen, aber gefährlichen Verlockungen, begegnet Viktor die Gefahr umgekehrt in dem von ihm ersehnten Norden. Italien mit seiner heiteren, „üppigen" Natur (S. 89) läßt dagegen seelisch Leidende gesunden (S. 34 u. ö.). Auch Goethe hatte Italien als Land glücklicher Menschen, zeitloser Harmonie gesehen und seinen Romaufenthalt als „Wiedergeburt" erlebt[35]. Über solche toposhaft gewordene, sinnbildliche Darstellung geht Johanna Schopenhauer im *Schnee* nicht hinaus; dafür findet man als Lokalkolorit Stereotype über die Italienerinnen – die Rede ist von deren „Heftigkeit" (S. 38) und Trägheit (S. 92) –, wie sie ähnlich auch in Reisebeschreibungen zu lesen sind. So hob Elisa von der Recke am „Volkscharakter" der Menschen Roms die „feurigen" Blicke hervor, die „Lebhaftigkeit" und den „Stolz" der Römerinnen[36] – genau wie Hubert in der Novelle (S. 15, 34, 39, 59). Die Gestalt „Ubertos" verkörpert mehr als die zeitgenössische Italiensehnsucht[37], nämlich das spezielle Interesse der Weimarerin an dem Land, über das sie wie kein anderes sich in Gespräch und Lektüre informiert haben dürfte. Vor allem Rom als „Paradies [...] der Künstler" (S. 21) wird Gegenstand der Unterhaltung in ihrem Teezirkel gewesen sein, dem neben dem Autor der *Italienischen Reise* (1816/17) auch dessen Berater in Kunstfragen, Johann Heinrich Meyer, der Kunstschriftsteller Carl Ludwig Fernow und der Porträtmaler Gerhard von Kügelgen angehörten, die alle in Rom gelebt hatten. Die eingehendsten Kenntnisse über Roms deutsche Künstlerkolonie verdankte sie Fernow (1763–1808), der ihr in ihren ersten Weimarer Jahren am nächsten stand. In der Biographie *Carl Ludwig Fernow's Leben* (1810), mit der sie als Autorin debütierte, zitiert sie reiche Auszüge aus den Tagebüchern und Briefen des Gelehrten; man findet darin, auch in seinen Büchern *Sitten und Kulturgemälde von Rom* (1802) und *Römische Studien* (1806–08), unzählige Parallelen zum Italienbild im *Schnee*[38]. In seinem Aufsatz *Über die Landschaftmalerei* verherrlichte Fernow die idealische Schönheit des Landes, der „selbst die Schweizernatur, so majestätisch-gros [...] und malerisch" sie sei, nicht gleichkomme[39]. Kunst und Landschaft des „sehnsuchtswerthen" Italien[40], das er über die Schweizer „Schneegebirge" erreicht und in dem er glückliche Jahre (1794 bis 1803) verbracht hatte, blieben ihm zeitlebens Gegenstand seines liebenden Interesses, seines Heimwehs. Wie Hubert pries er den wolkenlosen südlichen Himmel (S. 15 u. ö.) und litt unter der „nordische[n] Dürftigkeit und prosaische[n] Gemeinheit der Natur".

Eine Episode aus Fernows Lebensgeschichte muß seine Biographin besonders beschäftigt haben, so daß sie jenes Problem der Handlung im *Schnee* zugrunde legte: Wodurch vermag jemand, der unschuldig getötet hat, sein inneres Gleichgewicht wiederzufinden? Der junge Fernow hatte im Spiel einen Menschen erschossen: ein „unverschuldetes Verbrechen", das „auf sein Gemüth fürs ganze Leben einwirkte, und ihn sehr frühe zwang mit Ernst um sich zu blicken".

Fernow, der nach dem Zeugnis der Biographin schon als Anfangvierziger das Aussehen eines Greises hatte, lieh nicht nur diesen und andere Züge an die Figur Stanislaus (S. 5), sondern gab auch das Modell für Ernesto in *Gabriele*, der wiederum Eigenschaften mit „Uberto" teilt. Wie die Romanfigur war Fernow in Rom mit dem frühverstorbenen Maler Carstens eng befreundet, dessen Lebensporträt er schrieb. Die Gestalt des alten, von jungen Schülerinnen umringten Malers ist jedoch weniger Fernow nachempfunden als vermutlich eine Reminiszenz an den Leiter der Weimarer Zeichenschule Georg Melchior Kraus (1733–1806), den die Autorin als „73jährigen Greis" kennenlernte: „ein alter Jung-Gesell, aber der Freund u. Trost aller jungen Mädchen [...], der durch seine kindliche Heiterkeit jeden Zirkel belebte, liebenswürdig, freundlich [...], voll Liebe für die Kunst"[41].

Der Name Hubert ist sicher eine Hommage an den Maler Hubert van Eyck (1366–1426), zu dessen 400. Todesjahr die Novelle erschien. „Auch Hubert", der Lehrer seines jüngeren Bruders Jan, „war ein großer bedeutender Meister", schrieb Johanna Schopenhauer in ihrer Schrift *Johann van Eyck und seine Nachfolger* (1822)[42]. Aus Jugendtagen kannte sie das früher Jan van Eyck zugeschriebene Bild „Das Jüngste Gericht", das in der Danziger Marienkirche hing und an dem sie die Mitwirkung des Bruders zu erkennen glaubte.

Hubert verliert in dem ihm verhaßten Mietau alle Schaffenskraft, und in seiner Schwermut malt Viktor nicht mehr so genialisch wie sonst: Kunst als Spiegel der Seele. Doch anders als etwa *Anton Solario, der Klempner. Eine Malergeschichte* (1825), worin die Autorin das Leben einer historischen Malerpersönlichkeit erzählt, ist die Geschichte um Hubert und Viktor nicht primär eine Künstlernovelle, denn es geht nur am Rande um Ausübung und Technik der Kunst, den Beruf des Künstlers und seine Gefährdung. Dies zeigt auch ein Vergleich mit Ludwig Tiecks Künstlerroman *Franz Sternbalds Wanderungen* (1798), mit dem *Der Schnee* einige Motive gemeinsam hat. Johanna Schopenhauer, die als Kind der berühmten Angelika Kauffmann nacheifern wollte, zeichnete und malte selbst. Daß sie ein Augenmensch war, verrät die Art, wie sie Viktor und Hubert, den Landschafts- und den Porträtmaler, Natur und Personen beschreiben läßt. Schwelgerisch werden Farbwirkungen und Lichtempfindungen wiedergegeben (S. 15 u. ö.); bewundert wird die Schönheit der in wechselnde Beleuchtung getauchten Bergspitzen. In der Dichtung der Zeit ist ähnliches oft zu beobachten. So werden in Matthissons Alpengedichten die „Purpurgluth" und das „Abendgold" der Schneegipfel verherrlicht[43]; in Annette von Drostes Epos *Das Hospiz auf dem großen St. Bernhard* (1838) erstrahlt die „mächt'ge Rosenkuppel" des „Alpenfürst[en] Montblanc" im Morgenlicht[44].

Die zeittypische Vorliebe für preziöse Metaphern[45] ist für die Sprache der beiden Maler kennzeichnend; namentlich in der Verwendung von Edelstein- und Blumenmetaphern, oft verbunden mit Personifizierungen, können sie sich nicht genug tun: „Rubinenthore der Morgenröthe" (S. 28); „die Kuppel [...] [begann] in Rosengluth sich zu kleiden" (S. 80); „die Sonne schmückte [...] die [...] Felsenhäupter, mit strahlenden glühenden Rosen" (S. 20). Diese und ähnliche Bilder verdanken sich der damaligen Tendenz zu einer enthusiastischen, bis ins säkularisierte Sakrale gesteigerten Literatursprache[46]; sie zeigen, daß Johanna Schopenhauers Texte vom Stil der Empfindsamkeit geprägt sind, auf den die Erzählliteratur der Biedermeierzeit zurückgriff. Zugleich aber, in ihrem Roman *Sidonia* (1827), ironisierte die Autorin die „pathetischen Redensarten" und „wortreichen Beschreibungen", womit Alpenreisende auf „diese Beleuchtung" oder „jenen Licht-Reflex auf den Eismassen der Gletscher" hinzuweisen liebten[47].

Der ruhige Konversationston des Novellenanfangs geht über in pathetische, rührende und schauerliche Passagen, bevor er sich am Schluß wieder einstellt. Alle Erzählebenen sind geprägt von starker Emotionalität: Heftige Gemütserschütterungen und Gefühlsausbrüche erleiden nicht nur die am erzählten Geschehen Beteiligten, sondern auch der Erzählende und seine Zuhörer; Tränenströme sind salonfähig. Bei der Beschreibung extremer Gefühlszustände sehr beliebt ist – wie auch sonst im Biedermeier – der Superlativ[48]: „reinster" Enthusiasmus (S. 50), „leidenschaftlichste" Liebe (S. 85), „wildeste" Verzweiflung (S. 47), „gräßlichster" Untergang aller Seelenkräfte (S. 46). Dargestellt wird (wie gleich der erste Satz der Novelle zeigt) das Krasse, Monströse, Unausdenkbare: „die unseligste Verwickelung, in welche das Schicksal je zwei Wesen verstrickte" (S. 41). Eine rhetorisch-übertreibende Stiltendenz äußert sich auch in Wörtern wie „überherrlich" (S. 26), „gränzenlos" (S. 61, 84) und in Unsagbarkeitstopoi wie „unaussprechliches" Entzükken (S. 74), „nicht zu beschreibende" Angst (S. 89), „namenloses" Entsetzen (S. 77, 81), „unnennbares" Grausen (S. 89). Dieser Extremwortschatz, zu dem Epitheta wie „herzzerreißend" (S. 64, 93), „furchtbar" (S. 13 u. ö.) oder „grauenhaft" (S. 45) beitragen, erzeugt neben dem empfindsamenthusiastischen einen schauerromantischen Ton, wie ihn Johanna Schopenhauer in vielen ihrer Erzählwerke anschlägt. Gerade an Höhepunkten der Handlung mischen sich häufig im Biedermeier in den empfindsamen Ton Elemente des Schauerromans[49]. So überlaufen die Liebenden bei ihrer Begegnung „eisige Schauer", und Viktor wird „von gewaltsamem Grausen" ergriffen (S. 69f.). Zur Steigerung des Unheimlichen werden Schopenhauersche Figuren in Kerker und Gewölbe geführt (*Der Günstling*, *Haß und Liebe*), auch hinter „schauerliche" (S. 94) Klostermauern – seit Millers *Siegwart* (1776) war die Klostergeschichte beliebt –, oder gar lebendig begraben (*Der Balkon*). Sie verfallen dem „Wahnsinn" (*Gabriele*) oder sind ihm zumindest nahe (S. 48, 75 u. ö.); sie taumeln zwischen „Betäubung" (S. 65 u. ö.) und „Bewußtlosigkeit" (S. 31, 83).

In der Zeit der Romantik und des Biedermeiers nahm das Interesse für die ‚Nachtseiten' der Natur und der Seele zu; man redete über Übernatürliches, Prophetie, Geistererscheinungen – Phänomene eines in der Aufklärungszeit zwar erschütterten, aber weiterhin sehr lebendigen Volksglaubens, die auch in Theologie und Philosophie diskutiert wurden[50]. Von „Schutz-" und anderen „Geist[ern]" (S. 20, 41 u. ö.), von „geistige[n]" (S. 93) und „gespensterartigen Erscheinungen" (S. 18), von „Phantom[en]" (S. 75) und der „wilde[n] Jagd" (S. 63) ist im *Schnee* wie selbstverständlich die Rede. Menschen erfahren vom „Geisterwesen" (S. 11) durch „Stimmen" (S. 26, 93 u. ö.), „Vorbedeutungen" (S. 57, 73), vor allem durch „Ahnungen" (S. 8 u. ö.). Tagebucheinträge der Elisa von der Recke, die an die Geisterseherei eines Cagliostro zuerst glaubte, dann den Scharlatan entlarvte, bezeichnen den Zwiespalt der Zeit zwischen empfindsamer Hingabe an „Ahnungen" und aufgeklärt-rationalem Denken:

> Vor 12 Jahren ergriff in dieser Stunde mich die bange Ahnung, mein Liebling [Bruder] sey an seiner schweren Krankheit gestorben [...]. War es nur Furcht, mein Lebensglück verlohren zu haben, [...] oder herrscht im Geisterreiche eine solche Verbindung zwischen liebenden Seelen, daß Ahnungen sich dieser bemächtigen [...] und uns den Wink geben, daß wir in einer geheimnißvollen Verbindung mit der uns unbegreiflichen Geisterwelt stehen?

> [...] wir [...] dürfen unser Leben nicht durch trübe Ahnungen verbittern, die uns oft täuschen und uns fruchtlos einer heitern Stunde berauben. Um mich von meiner Ahnungssucht zu heilen, schrieb ich ein ganzes Jahr meine gehabten Ahnungen auf; unter 20, die mich umsonst gequält hatten, waren nur zwey eingetroffen.[51]

Goethe sprach von „Ahn(d)ungen"[52] im Zusammenhang mit
übersinnlichen Wahrnehmungen und Voraussagungen; sie
können Visionen von Unheil oder Tod sein, sind aber auch –
wie bei Viktor – mit unbefriedigter Sehnsucht verbunden.
Nachdem Johanna Schopenhauer in *Gabriele* dargestellt hat,
wie „ein banges Vorgefühl künftigen Unheils"[53] sich bewahr-
heitet, wird das Thema im *Schnee* exemplarisch abgehandelt.
Gegeben werden gleich mehrere, unterschiedliche Beispiele
für „das Ahnungsvermögen des menschlichen Geistes"
(S. 10); gezeigt wird, daß es nicht nur nicht möglich ist, das
Eintreffen vorausgeahnten Geschehens zu verhindern, sondern daß die Betroffenen, von einer „innere[n] Gewalt"
(S. 12) getrieben, ihrem Untergang offenen Auges entgegen-
gehen. Viktor gibt seinem inneren Drang nach, ohne daß ihn
„seine trüben Ahnungen", ja das „Vorgefühl" eines „nahen
Todes" (S. 73 f.) davon abhalten könnten. Hubert erlebt solch
inneren Widerstreit an sich selbst: ihn drängt es „unwiderstehlich" zur Mitteilung, wovor ihn „eine andre Stimme"
vergeblich warnt (S. 13).
Ahnungen fungieren somit nicht nur als spannungsstei-
gernde Vorausdeutungen, sondern geben der Erzählung auch
ein Kolorit des Unheimlichen, ja sie spiegeln die tragische
Unausweichlichkeit des Geschehens: Vorahnungen zu miß-
achten, wird von Hubert als Schuld empfunden; doch ihren
Warnungen zu folgen, ist unmöglich. In sein „Verderben"
läuft aber auch, wer „keine warnende Ahnung" hat; wie ein
Fluch wirkt sich Hermanns „Verhängniß" aus (S. 43 f.). Das
Schicksalsmotiv verbindet den *Schnee* mit Zacharias Werners
Schicksalstragödie *Der vierundzwanzigste Februar* (1815), in
deren düsterer Handlung, die durch entsprechende Elemente
der Alpenlandschaft untermalt wird, sich „die Ahndung [...]
erfüllt"[54]. In der Schicksalsnovelle der zwar aufgeklärten,
aber strengem Rationalismus und der Freigeisterei abgeneig-

ten Autorin bleibt offen, wodurch die tragische Verwicklung und die abschließende Versöhnung bewirkt wird: durch „Zufall" oder durch „Schickung" (S. 12). Dem „Zufall", der die Personen zusammenführt (S. 55, 65, 100 u. ö.), wird – wie in Goethes Roman *Wilhelm Meisters Lehrjahren* – „sein Spiel" ‚erlaubt'[55]; doch die sich ‚erfüllenden' (S. 83) Ahnungen künden davon, daß ein unergründliches, unentrinnbares Geschick waltet[56].

Die Lust am Geheimnisvollen und Spukhaften erzählerisch aufzugreifen, ist für die Zeit charakteristisch, nicht nur für den Bereich zwischen der Trivial- und der hohen Literatur, dem *Der Schnee* angehört. Während der Baron in *Gabriele* dem „Aberglauben" und „dem Grauen der Gespensterwelt" verfallen" ist[57], will Hubert von „Gespenster[n]" nichts hören (S. 11 f.), spricht dann aber doch vom „Gespenst eines Todten" (S. 59) und scheint die „mitternächtige" Geisterstunde zu fürchten (S. 41). Obwohl also animistischen Vorstellungen verhaftet, legt er sich auf die Existenz einer erfahrbaren „Geisterwelt" (S. 10 f.) nicht fest: Lilis an ihn gerichtete Frage wird an den Leser weitergegeben. Auch eine Gespenstergeschichte wäre salonfähig gewesen, wie es Goethes *Unterhaltungen deutscher Ausgewanderten* (1795) beweisen, wenn das Schaurige durch die Erzählsituation gemildert wird: Im behaglichen Kreis genießt man das „heimliche Grauen" (S. 14) der „schmerzlich schöne[n] Stunde" (S. 86); das Tageslicht der Realität scheint „dann um so heller" (S. 14).

Die Rahmenhandlung führt in die Situation ein, aus der heraus sich die Binnenerzählung entwickelt: Hubert wird um „Mittheilung der [...] Begebenheit" gebeten, die er im abstrakten Gespräch als konkretes Fallbeispiel andeutend erwähnt hat (S. 12), ähnlich wie der alte Priester in Goethes *Unterhaltungen*. Huberts Erzählung ist mit dem Rahmen formal (durch Unterbrechungen) und inhaltlich (durch teils dieselben Personen) vielfach verflochten. Damit bleibt nicht nur die Erzählsituation im Salon gegenwärtig, sondern kommen auch die auf das Ende vorausweisenden Reaktionen Cölestines und Stanislaus' in den Blick, die zunächst nur als Zuhörer aufzutreten scheinen. Sämtliche Teile der Novelle sind durch ein Geflecht von Andeutungen und Rückverweisen miteinander vernetzt. Dabei wird die beschränkte Perspektive des Ich-Erzählers konsequent eingehalten. Seine Worte und Wertungen werden dadurch beglaubigt, daß sie weder eine Figur noch der allwissende, auktoriale Rahmenerzähler relativiert. Nur Ergänzendes wird nachgetragen, von Cölestine und schließlich vom Rahmenerzähler, der von „dieser Erzählung" spricht, seiner eigenen (S. 97).

Im Unterschied zu dem „Trauerspiel" (S. 7f. u. ö.), dessen Diskussion Huberts Erzählung veranlaßt, schenkt diese, obwohl sie „eine sehr traurige Begebenheit" (S. 12) schildert, am Ende „Allen Beruhigung" (S. 56). Zwar ist sie selbst eine erzählte Tragödie: Nachdem Hermanns „schuldlos[es]" (S. 43f.) Verschulden das tragische Geschehen ausgelöst hat, trifft auch Marie und Viktor, obgleich objektiv „schuldlos" (S. 84, 86), die „Katastrophe" (S. 96). Aber die dunkle Binnenerzählung wirkt auf das Rahmengeschehen im doppelten Sinne erhellend zurück und erweist damit – wie die Geschichten der *Unterhaltungen* – einen höheren Sinn: Am Ende der analytischen Novelle sind nicht nur sämtliche „Räthsel" (S. 12 u. ö.) und „Geheimnisse" (S. 41 u. ö.) enthüllt, sondern auch die Handelnden versöhnt, von der Last eigener oder vermeintlicher fremder „Schuld" (S. 86, 89, 102 u. ö.) befreit. „Das Leben ist der Güter höchstes *nicht*, / Der Uebel größtes aber ist die *Schuld*": an diese Schlußverse von Schillers Trauerspiel *Die Braut von Messina* (1803)[58] scheint sich Huberts an den Zuhörerkreis gerichteter Hinweis anzu-

lehnen, daß es „noch ein höheres Gut" gebe „als das Leben"
(S. 56). Dieser höchste Wert ist der „Frieden" der „Seele"
(S. 89f.). Ihn schenkt Huberts Erzählung, wie Stanislaus am
Schluß betont (S. 102) und, ebenso bezeichnend, Cölestine in
den letzten Worten, mit denen sie die Abendgesellschaft
entläßt (S. 90).

Huberts auf zwei Abende verteilte Geschichte gliedert sich
in drei Abschnitte, die jeweils zu Höhepunkten der Handlung führen, den drei Begegnungen des Paares in Chamouny,
Mietau und wieder in Chamouny. Durch diese symmetrische
Anlage der Handlung sind deren erster und dritter Höhepunkt (Chamouny), das erste und das letzte Lebewohl, Liebe
und Tod, einander zugeordnet, und der höchste Gipfelpunkt
(Mietau) mit dem heroischen Entschluß zum Verzicht bildet
die Mitte.

Außer dem Binnenerzähler treten fünf Hauptpersonen auf,
die auf unterschiedliche Weise miteinander verbunden sind.
Die Konfiguration läßt sich als Reihe darstellen: Gaetana –
Viktor – Marie – Stanislaus – Cölestine. Zentralfigur ist
Marie; sie als einzige hat sich zwischen zwei gegensätzlichen
Lebensformen zu entscheiden, die durch den umdüsterten
Stanislaus und den mit Phoebus Apollo (S. 16, 28), dem
Lichtgott, verglichenen Viktor personifiziert werden. Ebenfalls Kontrastfiguren sind die unglückliche Gaetana und die
glückliche Cölestine: Die Mutter und die Pflegemutter Lilis
verbindet zwar die „nämliche" Opfergesinnung (S. 95), sie
sind jedoch als Charaktere einander polar gegenübergestellt.
Leidenschaft, Selbstzerstörung, Tod ist der eine Pol, Über-
windung der Verzweiflung, heitere Entsagung, Leben der
andere.

Die Figurenreihe Viktor – Marie – Stanislaus – Cölestine ist
eine Abwandlung der Konfiguration in Goethes Roman *Die
Wahlverwandtschaften* (1809): Ottilie – Eduard – Charlotte –

Hauptmann. Jeweils steht in der Mitte das durch die Ehe verbundene Paar, dessen beide Teile die neuen Herzensbindungen eingehen. Eine andere Variante bildet Johanna Schopenhauers Erzählung *Meine Großtante*: Casimir – Wally – Marie Segmour – Walther. Das Exzeptionelle der Figuren- und Problemkonstellation am Handlungseingang ist hier noch gesteigert: Noch ,unerhörter'[59] als die Verlobung zweier Kinder ist die Heirat zweier Frauen. In der ersten Hälfte beider Novellen wird der widernatürliche Schritt für notwendig gehalten, um Schlimmeres zu verhüten (Marie Segmour bewahrt ihre Freundin Wally vor der drohenden Zwangsehe); in der zweiten Hälfte scheint jenes Handeln nicht mehr fraglos richtig, die Natur beginnt ihr Recht einzufordern. Sowohl im *Schnee* als auch in *Meine Großtante* setzt die Umkehr in der Mitte der Novelle ein: Mit Hermanns und Amadées Tod, wovon genau in der Mitte berichtet wird (S. 53), scheint das bindende Gebot hinfällig; und Marie Segmour erkennt, wie Wally „menschlich natürlich" liebt, so daß sie ihr nun, analog zu Hubert, „auf dem von der Natur vorgeschriebenen Wege" zum „Glück" verhelfen will[60]. Während in *Meine Großtante* die Lösung einfach ist und durch eine Doppelhochzeit die natürliche, die sittliche und „die bürgerliche Ordnung" in Einklang gebracht werden, steht im *Schnee* die natürliche mit den anderen Ordnungen unversöhnlich im Widerspruch. Für Marie lassen sich Glück und Moral nicht vereinen; ihre Liebe kann nicht in „Freiheit" (S. 31, 57) Erfüllung finden. Was ihr natürliches Empfinden berechtigterweise fordert, gilt ihr als moralisch verwerflich.

Hintergrund dieses im Zentrum der Handlung stehenden Normenkonflikts ist die zu jener Zeit übliche Stellung der Frau als Tochter und Gattin. Die Vormundschaft des Vaters, die auf den Mann überging, bedeutete Abhängigkeit, Einengung, oft Unterdrückung. Auswege schuf die Fiktion in der Utopie einer absoluten, freien Übereinstimmung der Frau mit dem einzig adäquaten Menschen, der, mit ihr „Eins" (S. 65), wie für sie geschaffen scheint (S. 41) – oder realistischerweise im Ideal gelungener Einordnung, wobei verschiedene Abstufungen eines Glückes im Verzicht dargestellt werden. In vielen Werken der damals aufblühenden Frauenliteratur steht im Mittelpunkt eine Frau, die mit einem Ungeliebten in einer aus gesellschaftlichen Rücksichten geschlossenen „Convenienzehe" (S. 66) vermählt ist (oder werden soll) und ihre Herzensneigung niederkämpft. Umgekehrt eröffnet Ottokar der Gabriele in Johanna Schopenhauers Roman:

Ich war gefaßt, eine gewöhnliche Konvenienz-Heirath einzugehen, und weder mehr noch minder glücklich zu seyn, als alle die Tausende um mich her, und nun, in der letzten Minute, da ich mit halber Freiheit noch athme, kommst du wie eine himmlische Erscheinung, du wunderbares Wesen, und zeigst mir ein Glück [...].[61]

Das Hauptmotiv im *Schnee* ist weniger das Motiv der Frau zwischen zwei Männern als das der Tochter-Vater-Beziehung. Beide Motive sind dadurch verknüpft, daß Marie zur Ehe mit einem vom Vater bestimmten Mann erzogen wird. Auch in anderen Erzählungen und Romanen der Schopenhauer ist das Vater-Tochter- oder auch Vater-Sohn-Verhältnis auf den Konflikt um die Partnerwahl reduziert. Oft sind die Väter Tyrannen, die ohne moralische Berechtigung Gehorsam fordern, subtilen Zwang (*Gabriele*, *Die Tante*) oder brutale Gewalt ausüben (*Haß und Liebe*), und ebenso unwürdig sind die den Töchtern aufgedrängten Bräutigame (*Gabriele*, *Sidonia*, *Meine Großtante*). Im *Schnee* wird das Problem dadurch auf eine höhere sittliche Ebene gehoben, daß eine Dreizehnjährige mit einem ihr fremden, aber ihrer würdigen Mann vermählt wird, an den sie sich durch das strengste Pflichtgefühl gebunden weiß.

Was Goethe am Roman *Gabriele* beobachtete, alle „Mithandelnden" seien „Opfer von klemmenden Widersprüchen, die sich [...] aus dem Konflikt des Wollens, der Pflicht, der Leidenschaft, des Gesetzes, des Begehrens und der Sitte" ergeben[62], das gilt in zugespitzter Form auch für den *Schnee*. Denn hier ist die Forderung der Pflicht und der Sitte noch zwingender: Es gilt, nicht einen despotischen, sondern einen wahrhaft leidenden Vater zu retten und zugleich einem anderen Vater Genugtuung zu verschaffen. Maries und Stanislaus' Gehorsam gründet auf ernster, bewußter Entscheidung, letztlich auf dem vierten Gebot. Ihr Ehebund ist gerade keine „Convenienzehe", sondern im über Individuen hinausgreifenden Schicksal verankert und darum unauflöslich. So stehen zwei ethische Forderungen gegeneinander, die beide ins Metaphysische reichen: einerseits die Sühnung einer Schuld möglich zu machen, andererseits einem elementaren Empfinden zu folgen, das – wie es auch Gabriele von ihrer Liebe zu Ottokar meint – von „Gott" (S. 68) selbst eingegeben scheint. In diesem Widerstreit zweier fast gleichrangiger Gebote wird die Lösung, wie immer sie ausfällt, tragisch.

Die Konfliktsituation ändert sich nicht, als es nach dem Tod der Väter erlaubt, ja geboten scheint, die unterdrückten Lebensmöglichkeiten zu verwirklichen. Huberts Eingreifen erinnert an die Ratschläge von Gabrieles Beschützer Ernesto, der gleichfalls dem sinnlos gewordenen Pflichtgefühl den gesunden Menschenverstand entgegensetzt. Aber die Autorin läßt beide an der inneren Festigkeit der Heldinnen scheitern – oder, wenn man will, an der Unveränderbarkeit ihrer internalisierten Verhaltensmuster. Wie bei Gabriele hat bei Marie das Gewissen die Rolle des Vaters übernommen: Dessen Gebot gilt über den Tod hinaus, und Gehorsam wird dadurch gelohnt, daß die Töchter vor „Reue" (S. 69, 86) bewahrt bleiben. Die Furcht vor quälenden Selbstvorwürfen, die den inneren Frieden vernichten, stützt die Moral.

In dem Motiv der derart nachhaltig wirkenden väterlichen Autorität kann man – über eine autobiographische Bedeutung hinaus – das Verhältnis Arthur Schopenhauers zu seinem Vater reflektiert sehen. Nach der Selbsttötung des an Depressionen Leidenden 1805 blieb die Vaterbindung des Sohnes so tief, daß er den mit ihm geschlossenen Vertrag – Europareise gegen Verzicht auf freie Berufswahl – nicht zu brechen vermochte, wie ja auch Stanislaus sich mit dem Willen des Vaters identifiziert. Und ähnlich wie Hubert seinen Schützling, so ermutigte Johanna Schopenhauer ihren Sohn, der „Macht des Naturinstincts" zu folgen und seine Zukunft frei zu wählen, auch wenn sie seine und ihre „Reue" fürchtete[63].

Die Sympathie der Erzählerin gehört denjenigen ihrer jungen Helden und Heldinnen, die gegen väterliche Bevormundung und Gewalt aufbegehren und freie Gattenwahl fordern, sich zumindest – wie Marie – einer auf absolute Passivität festgelegten Rollenzuweisung innerlich widersetzen. Deutlich nimmt sie Partei für die Töchter, tritt sie ein für das Recht der Frau auf ein – in von Natur und Vernunft gezogenen Grenzen – selbstbestimmtes und glückliches Leben. Maries Dasein ist ein extremes Kontrastbeispiel: Von Anfang an heteronom, erhält es keinen Wert in sich selbst beigemessen, es wird vielmehr als Mittel mißbraucht. Männer bestimmen über sie: vom Vater, der durch ihr Opfer die von ihm selbst gestörte Ordnung wiederherstellen will, bis zu dem Sekretär[64] als dem verlängerten Arm des ihr aufgezwungenen Gemahls.

Achtung und Mitgefühl der Autorin gelten nicht weniger denjenigen ihrer Frauengestalten, die zugunsten überpersön-

licher Normen auf ihr Recht verzichten und sich in Selbstlosigkeit üben. Für die Auffassung, daß in solcher Opfergesinnung die Bestimmung, ja die Würde des weiblichen Ge-
schlechts liege, geben die tugendhaften Frauen selbst Beispiele. So wird Marie von der „edle[n] Mutter" durch ihr
Vorbild ermahnt, „sich in ihr Schicksal zu finden"; „diese
Ergebung" sei nur „das allgemeine Loos ihres Geschlechtes,
dem die Edlern desselben sich freudig unterwerfen [...] in
dem Bewußtseyn der Erfüllung ihrer Pflichten" (S. 47f.).
Ähnlich lernt Gabriele von der Mutter „stilles Dulden [...]
als der Frauen höchste Pflicht erkennen"[65]. Aber die Roman-
heldin erreicht dies letztlich nur durch mühsamste Selbstdis-
ziplin, die ihre Kräfte verzehrt. Indem Johanna Schopenhauer „die übermenschlichen Anstrengungen demonstriert,
deren es bedarf, um wie das Ideal zu leben, unterwandert sie
hinterrücks die Vorbildwirkung der perfektiblen Heldin.
Sowohl Ernestos Bedenken ob Gabrieles radikalen Pflichtbe-
wußtseins als auch die tragische Sinnlosigkeit der erbrachten
Opfer verraten die leisen Zweifel der Autorin an diesem
Frauenideal"[66]. Mehr noch: Gabriele selbst verwirft, was ihre
unbedingter Hingebung geweihte Mutter ihr vermittelt hatte,
das Erziehungsideal der freud- und wunschlosen Pflichterfül-
lung, dessen Unerfüllbarkeit an ihrem Schicksal dargestellt
wird: Daß Liebe ausschließlich das „Glück des Geliebten"
wolle, nichts für sich selbst erhoffe, ist für sie jetzt ein
„kindliche[r] Glaube"[67]. Marie zeigt von Anfang an nicht die
ätherische Liebe Gabrieles, sondern verbirgt die „Schwere"
ihres „Opfers" nicht (S. 69). Daß auch ihr die Selbstopferung
auf Dauer nicht gelingt, nicht gelingen kann, wird – wie bei
Gabriele – durch ihren frühen Tod gleichnishaft angedeutet.

Fast immer bei Johanna Schopenhauer gehen Mütter, erschöpft von langem Dulden, ihren Männern im Tode voraus.
Auch Hermanns Gemahlin erliegt den „Aufopferungen aller

Art"; ja so drückend sind die irdischen Bande, daß der Tod als „ein besseres Land" erscheint (S. 48). Die eigentlich vorbildhaften Frauenfiguren sind freilich nicht die, die an ihrem Unglück zerbrechen. Die Autorin idealisiert die Frauen, die ihr Geschick stolz und nach außen hin klaglos annehmen, auch wenn man zwischen den Zeilen die Klage, ja die Anklage lesen kann, daß diese Schicksalszwänge von Männern geschaffen wurden. Lächelnd das Unvermeidliche hinzunehmen: darin bestehe weibliche Lebensweisheit. Die gute Frau von Willnangen in *Gabriele* gibt sie an ihre Tochter weiter:

> Jedes stille heimliche Opfer läßt sich bringen, das fast Unleidliche läßt sich ertragen, wenn wir es nur den Augen der Welt verheimlichen können. Shakspeare's *„Smiling at grief"* ist mehr oder weniger das Loos und die Tugend der besten unsers ganzen Geschlechts; wir sind dazu geboren.[68]

Dieser Ausspruch läßt sich, gegen den Strich gelesen, als Problematisierung der den Frauen zugewiesenen Rolle interpretieren, als das Äußerste, was eine Schriftstellerin gegen die von einer Männergesellschaft ausgeübte ‚Zensur' wagen konnte. Aber die ihre Verzichthaltung kultivierende Sprecherin ist als kluge Frau dargestellt, genau wie Cölestine, die der Sentenz gemäß handelt, indem sie ihren Kummer verbirgt (S. 101). Dieses idealisierte Bewußtsein, das die innere Ruhe, ja das Leben erhalten hilft, mag als Trostmittel zu betrachten sein, mit dem die Autorin den Bedürfnissen vieler Leserinnen entgegenkam. Auch denkt man an ihre eigene wenig glückliche Ehe mit dem neunzehn Jahre älteren Schopenhauer. Ähnlich wie Marie (S. 48) ersehnte sie das „Glück" der „Unabhängigkeit"[69] nach einer als „verlohren" empfundenen Jugend: „ich weiß was es sagen will ein Leben zu leben welches unserm innern wiederstrebt"[70]. Erst als Witwe wagte sie es, sich die entbehrte „Freyheit" zu verschaffen, um in der

Weimarer Künstlerwelt „jezt erst recht eigentlich des Lebens froh [zu] werden"[71].

Daß die sechzehn-, siebzehnjährige Danziger Patriziertochter – wie sie in ihren *Memoiren* andeutet – den Mann nicht heiraten durfte, den sie liebte, das wurde, darauf weist alles hin, zu ihrem Lebenstrauma und -thema. Die Nachhaltigkeit dieses Erlebnisses mag die überspitzte Problemkonstellation im *Schnee* (und in anderen ihrer Novellen und Romane) gefördert haben. Ein moralisches Gebot, dem jedes natürliche Gefühl widerstrebt und dem doch in der Pflichtenkollision der höhere Rang zugesprochen wird – das scheint wenig realistisch. Aber ist nicht, was „Vielen Ueberspannung und Unsinn" dünkt, gerade, wie Schiller erklärte, „das wahrste und höchste Erhabene"[72]? Überhaupt ging es der Literatur vor dem poetischen Realismus weniger um lebensnah gestaltete Schicksalswege als um die Haltungen – Tugenden und Untugenden –, die die Figuren verkörpern, und die schroffe Gegenüberstellung sittlicher Normen und Werte. Die konstruierte Exposition dient der Erzählerin dazu, den Konflikt zwischen Freiheitsdrang und Gebundenheit in voller Schärfe und Schwierigkeit vorzuführen – ohne eine Lösung bieten zu müssen. Die ganze Wucht der Tragik soll wirken, die Leserinnen erschüttern.

Die über das Individuelle hinausweisende Anlage der Figuren schließt ein, daß ihnen Räume zugeordnet sind, die, wie noch zu erläutern ist, ans Archetypische reichende Bedeutungen haben: Viktors Rom, die Stadt der Antike, steht für eine auch ontogenetisch frühe Zeit. Die Alpen als die Sphäre Maries (ihr Wohnort liegt nahe der Schweiz) verweisen auf die Lebenshöhe, aber auch auf Tod und Ewigkeit. Durch das Sinnbild des Schnees ist Chamouny mit dem winterlichen Mietau verbunden, der Sphäre des „kalten" (S. 49) Stanislaus. Von allen drei Bereichen hebt sich im Rahmen die Sphäre

Cölestines ab: die lebendige große Welt (Paris) und die geographisch zwischen allen Extremen (Süden, Höhe, Norden) gelegene deutsche Residenzstadt, die für das Leben in der Gesellschaft und menschliche Nähe steht. Für den Gang der Handlung und deren Bedeutung ist entscheidend, daß die männlichen Figuren ihren ursprünglichen Bereich verlassen: Viktor tritt in Maries und Stanislaus in Cölestines Sphäre. Die Veränderung im Leben beider Männer wird durch den Wechsel des symbolischen Raumes anschaulich.

Einen Hinweis auf die sinnbildliche Funktion Roms gibt die Figur der aus Italien stammenden Lili. Sie ist unverkennbar der Mignon aus *Wilhelm Meisters Lehrjahren* nachgestaltet[73]: die „fremdartige", knabenhafte Erscheinung der – wie Mignon – anscheinend Zwölf-, in Wirklichkeit fast Sechzehnjährigen, ihre „großen braunen Augen" und langen schwarzen Locken, ihre „körperliche Gewandtheit" (S. 9, 12). Die wie folgt dargestellte innige Nähe zwischen Mignon und Wilhelm hat bis ins einzelne eine Parallele im Verhalten Huberts und Lilis (S. 12–14, 19, 32):

Sie [...] kniete mit Heftigkeit vor ihm nieder [...], sie legte ihr Haupt auf seine Knie, und war ganz still. Er spielte mit ihren Haaren, und war freundlich. [...] Sie richtete ihr Köpfchen auf, und sah ihn an [...].

Endlich fühlte er an ihr eine Art Zucken, das [...] sich den schlotternden Gliedern mitteilte; sie [...] schien [...] wie eins, das den höchsten körperlichen Schmerz erträgt; [...] ein Strom von Tränen [floß] aus ihren geschlossenen Augen [...].[74]

Lili, wie Mignon als „Kind" bezeichnet, ist „schuldlos" (S. 19). Ihre „weiß[e]" Haut wird mit einer „Lilie" verglichen (S. 9), jenem „Bild der Unschuld", das auch ein Attribut Mignons ist[75]. Sie kann sich wie jene sprachlich kaum ausdrücken (S. 9), nur durch Musik. Gleich Mignon ist sie ein „Fremdling" in der Welt (S. 94).

Viktor ist ebenfalls ein „Fremdling" im Leben und bleibt es; Lili scheint diese Gemeinsamkeit zu empfinden (S. 19). Der altdeutsche Name „Raimund" (S. 86 u. ö.) verweist auf seine deutsche Herkunft, der lateinische Name Viktor auf sein „Vaterland" Italien, auf die Stadt Rom mit ihren „Ueberbleibseln antiker Kunst" (S. 17). Er selbst wird mit „uralten" Götterstatuen, „Marmorgebilde[n]", verglichen (S. 16), so wie in Mignons Italienlied[76] mit den „Marmorbilder[n]" ja auch die Antike evoziert wird. Rom als Mittelpunkt der klassischen „Vorwelt" (S. 20) und als Ewige Stadt repräsentiert eine zeitlose Frühzeit – Hubert glaubt seinen Freund schon immer gekannt zu haben – und immerwährende „Jugend" (S. 21): Viktor scheint seit je ein „Jüngling" gewesen zu sein und dies gleich dem „ewig" jugendlich-schönen „Apollo" für immer zu bleiben (S. 16) – im Kontrast zu Stanislaus (S. 48).

Für Viktor besteht eine Beziehung zwischen der Ewigen Stadt und dem „ewigen" Eis und Schnee: Auf die Eiswelt richtet sich schon in Rom sein inneres Auge (S. 18, 34); vom römischen Amphitheater in Verona sieht er zum erstenmal die Schneegipfel (S. 20); wie in der dritten Strophe von Mignons Lied führt sein Weg über die Alpen. Als Kontrafaktur zu dem Ich in Goethes *Römischen Elegien*, auf die Huberts Wort von der „heiligen Roma" (S. 18) anspielt[77], wird Viktor in Rom gerade nicht „froh", findet er gerade dort nicht „die Liebe". Mignons „unwiderstehliche[r] Sehnsucht"[78] nach Italien entspricht sein Drang nach dem – vom Ich der siebten *Elegie* geschmähten – „Norden" (S. 18, 20). Es ist eine ursprüngliche Sehnsucht, aber nicht nach der Heimat, sondern nach einer „fremden Welt" (S. 18, 20), die ihm die wahre Heimat zu sein scheint. Italien ist das „Paradies"

(S. 21, 74), wo er „Alles" (S. 15) im Überfluß haben könnte, dem er sich aber „entfremdet" (S. 21). Er verläßt den ihm angestammten Bereich, verliert damit seine kindliche Unerfahrenheit (S. 19), erscheint plötzlich um vieles älter (S. 36, 64). Er tritt jedoch nicht ins Leben ein, sondern gerät in todähnliche Depression. Sein früher Tod läßt ihn „schuldlos" (S. 86) bleiben: Obgleich aus dem Garten Eden hinausgedrängt, ist er gerade kein „Sündenkind" (S. 21).

Italien ist am Ende nur mehr die „Heimath" Huberts (S. 73). Er bleibt ganz dem Land der Klassik verbunden; die Alpen sind ihm einzig als dessen „Vorhof" wichtig (S. 73). Viktor dagegen mit seinem „Sinn für das wild Romantische" (S. 23) – in ihrer Reisebeschreibung spricht die Autorin von der „wilden romantischen Pracht des Gebirges"[79] – ist der sich immerfort nach der „blauen Ferne" (S. 19) sehnende romantische Mensch, der zu einem in sich ruhenden Leben nicht geboren ist. Vielfach in der Alpenliteratur symbolisieren die Berge das Fernweh; sie üben Anziehungskraft aus, können aber auch gefürchtete, unglückbringende und besser zu meidende Orte sein. Viktors „Zwiespalt" zwischen Lokkung und einem Vorgefühl der Todesgefahr (S. 18) spiegelt sich in seinem „Kampf zwischen Wonne und abwehrendem Schaudern" (S. 20).

Berge stehen in der Literatur oft in Beziehung zu besonderen, entscheidenden Momenten im Leben der Protagonisten und zu Höhepunkten der Handlung. Mit jenem Alpengipfel, der dem Himmel am nächsten ist, verbinden sich für Viktor Gefühle himmelhoher Begeisterung und Erdenferne, aber auch der tiefsten Beklommenheit. Beides fällt hier zusammen: Die Liebenden sind nur scheinbar „abgeschieden von jeder Begränzung des Erdenlebens" (S. 57); der Schauplatz des „Lebensglücke[s]" ist zugleich dessen „Grabstätte" (S. 75). Liebe und Tod, Eros und Thanatos, sind unmittelbar verbunden. Das wird symbolisiert durch die Nähe der Farben der Liebe und des Todes, Rot und Weiß. Die „Rose des Glücks", wie es metaphorisch heißt, findet Viktor auf der „Schneefläche" (S. 65). Der Tag nach dem Tod der Liebenden beginnt mit der „Rosengluth" (S. 80) um den schnee-weißen ,Mont‚blanc', den ,weißen' Berg. Rosenrot und „weiß" strahlen bereits die Schneegipfel Tirols (S. 20). Fast zu deutlich wird das Abendrot, das die Schneefelder reflektieren, mit Viktor (S. 21), werden die „Rosenlichter" (S. 40) mit Marie verglichen. Die „Rose", die sie ihm überreicht (S. 31), ist Symbol ihrer Liebe, ebenso der „grüne Zweig, voll eben knospender Rosen" in ihrer Hand (S. 76, 82). Dieses „Zeichen der [...] Hoffnung" (S. 82), so heißt es überdeutlich, findet Hubert auf dem Gletscher, der mit dem Montblanc in Verbindung steht (S. 80): Unbeschränktes Liebesglück ist in „diesem Leben" (S. 86) nicht möglich, nur in „höheren Welten" (S. 74). Marie trägt bei ihren Begegnungen mit Viktor wie als Zeichen ihrer Keuschheit einen „Schleier" (S. 31, 63, 76 u. ö.), den sie an der Stätte ihres Todes, „in unersteiglicher Höhe" (S. 83), verliert: ein Hinweis darauf, daß die Liebenden – ähnlich wie Eduard und Ottilie in den *Wahlverwandtschaften* – jenseits dieser Welt dann doch miteinander verbunden sind.

Leitmotivisch zieht sich das Wortfeld „Schnee" durch die ganze Novelle (das Wort kommt, mitsamt Komposita, 18mal vor), und man begreift nicht, daß ein Rezensent ihren Titel „nicht recht passend" fand[80]. Daß der schneebedeckte Gletscher metaphorisch für den Tod steht – den Tod des Glücks und des Lebens –, wird unterstrichen, wenn von „ewigem Schnee" (S. 24 f.) gesprochen wird – dies gleich in der ersten direkten Rede Viktors (S. 20) –, vom „ewigen Eis" (S. 20) und dem „ewigen Schweigen" des Montblanc (S. 40). Der Neuschnee nach der Trennung in Mietau, die ihn aufs „Sterbebett" bringt (S. 70), deutet darauf voraus, auch die „ertödtende Kälte" (S. 73) und schon seine Vision der „in Todesfrost erstarrten Natur" der „endlosen Winternacht" (S. 18). Das Bild des weißen „Leichentuch[es]", das die Liebenden „auf ewig umhüllt" (S. 70, 83), bedeutet ein Doppeltes: die bis in den Tod „heilig bewahrte Unschuld" (S. 101). Weiß symbolisiert ja nicht nur den Tod, sondern verweist ikonographisch auch auf die hl. Jungfrau Maria. Weitere Mariensymbole sind die „Rosen", der „Maimonat" (S. 77) und der Mond (S. 21); Maries Verhalten wird sogar mit dem „reine[n] schöne[n] Mond" verglichen (S. 67). Im Zusammenhang mit dieser Symbolik steht auch der frühe „Morgen", den Marie für den Abschied bestimmt (S. 76, 85). Nicht zufällig folgt Maries Geburt auf den Tod eines Mädchens namens Anna; und indem er Maria als „Inbegriff [...] der allerjungfräulichsten Reinheit" bezeichnet, stellt Hubert ausdrücklich den Bezug zwischen Marie und ihrer Namenspatronin her (S. 42). Es ist also keine irdische Eva, derentwegen Viktor sein Paradies verliert, sondern im Gegenteil ein „ätherisches" Wesen (S. 27), das der Himmelskönigin Maria gleicht.

Dazu stimmt, daß Marie, wie viele weibliche Figuren Johanna Schopenhauers, mit dem geschlechtslosen „Engel" verglichen wird (S. 28, 45, 76 u. ö.), einem „biedermeierliche[n] Grundsymbol"[81]. Auch Viktor, dessen „Uebereinstimmung" mit ihr betont wird (S. 58), erscheint wie ein „Wesen höherer Art" (S. 88). Häufig in der Literatur sind es Berge, die auf hehre Gestalten verweisen. Viktor steht mit der „erhabenen" Alpenlandschaft im „Einklang" (S. 24): Seine „göttergleiche" Erscheinung (S. 15) entspricht ganz dem „Prachtbau" dieser „hohen Natur" (S. 27f.), sein „gigantisch[er]" Charakter (S. 19) der „gigantische[n] Bergwelt" (S. 26).

Gleich anderen Heldenfiguren der Erzählerin sind Viktor und Marie „hohe Gestalten" (S. 76), körperlich und moralisch. Beide vereinen „Schönheit" mit „Güte" (S. 27), äußere „Anmuth" mit innerer „Reinheit" (S. 58) oder, wie es einmal heißt, „Schönheit, Anmuth und Würde" (S. 28). Damit ist deutlich auf die Begrifflichkeit Schillers in seiner Schrift *Ueber Anmuth und Würde* (1793) angespielt[82]. Mit ihrer „Charakterschönheit", der wechselseitigen Spiegelung ästhetischer und moralischer Werte entsprechend dem antiken Ideal der Kalokagathie, verkörpern Marie und Viktor das Schillersche Bild der „schönen Seele". In einem solchen Menschen harmonieren „Sinnlichkeit und Vernunft"; die „Leichtigkeit", mit der er instinktiv gemäß „Pflicht und Neigung" handelt, äußert sich durch „Grazie", „Anmuth". Jene zwanglose Harmonie kann aber durch starke Affekte gefährdet werden. Wenn der „Naturtrieb" den „Willen" mit „blinde[r] Gewalt" überfällt, tritt die „Neigung" zur „Pflicht", die „Sinnlichkeit" zur „Vernunft" in Widerstreit. Die „schöne Seele" muß das „Verlangen des Triebes" bekämpfen, damit nicht die „Sittlichkeit" der „Sinnlichkeit" geopfert wird. Sie handelt dann „moralisch groß", wenn der Charakter den „Foderungen der Natur" erfolgreich „Widerstand" leistet. Dies ist die Situation der Liebenden am Gipfelpunkt der Handlung, bei der Begegnung im Zimmer Maries. Anders als in Goethes *Wahlverwandtschaften* wird der Konflikt zwischen Natur- und Sittengesetz hier zwar in schwerem Kampf, aber in kürzester Zeit entschieden: Nach „nur" einem „Augenblick" (S. 69) gehen Viktor, laut seinem lateinischen Namen, und Marie, ihm ebenbürtig, als „Sieger" (S. 17) und „Siegerin" (S. 69) aus jenem Kampf hervor. Damit entsprechen beide dem Schillerschen Ideal vollendeten Menschseins: Die „schöne Seele" hat sich „im Affekt in eine erhabene" verwandelt, in der „Anmuth und Würde", jene von „Schönheit", diese von „moralische[r] Kraft" begleitet, „vereinigt" sind: „So wie die Anmuth der Ausdruck einer schönen Seele ist, so ist Würde der Ausdruck einer erhabenen Gesinnung", Ausweis der Freiheit des Geistes. Nach Schiller wird der „Würde" „Achtung", der „Anmuth und Schönheit" „Liebe" entgegengebracht. So ist Gabriele eine „nicht weniger Achtung als Liebe einflößende Erscheinung"[83], und Marie zollt Viktor, der die Würde bewahrt hat, „Liebe und Bewunderung" (S. 69).

Die als „dunkel" bezeichnete „Leidenschaft" (S. 68) ist in der Erzählprosa der Zeit Johanna Schopenhauers verpönt: in moralisierenden empfindsamen Erzählungen der Spätaufklärung ebenso wie in Werken des Biedermeiers[84]. In *Gabriele* ist Hippolit der Held, denn er hat seine „zerstörende Leidenschaft" bemeistert, während Ottokars Zuneigung „mehr der anbetenden Bewunderung, als irdischer Liebe" gleicht[85]. Viktors „frühere Leidenschaftlichkeit" (S. 76) verwandelt sich in eine „Alles opfernde Liebe", die ganz in Caritas übergeht; Eros ist durch „Entsagung" erstickt (S. 69). Damit ist der Begriff genannt, der auch in Goethes Alterswerk im Zentrum steht, in den Romanen *Die Wahlverwandtschaften* und *Wilhelm Meisters Wanderjahre oder Die Entsagenden* (1821). Das strenge Ethos der Biedermeierzeit fordert allenthalben Entsagung; gefeiert wird die Selbstvervollkommnung durch Selbstlosigkeit und Opfermut[86]. In Johanna Schopenhauers erzählenden Schriften, besonders in ihren Romanen *Gabriele* und *Die Tante* (1823), herrscht die Entsagungsidee so sehr vor, daß der Kritiker Wolfgang Menzel sie „Entsagungsromane" nannte[87]. Immer aber wird die Pflicht zur Entsagung gegen den Anspruch des Menschen auf Liebesglück abgewogen. Kritisch gefragt wird auch, ob sich der Entsagende nicht aus Eitelkeit zum Helden einer „Großmuthstragödie" (S. 100) stilisiert.

Bei ihrer letzten Begegnung in der erhabenen Bergwelt dürfen die Liebenden ihre heroische Kraft zum Verzicht nochmals beweisen. Trotz des gewagten Motivs – feierlicher Abschied oder doch geistiger Ehebruch? – bleibt die traditionelle Moral- und Ordnungsvorstellung unangetastet. Aber warum läßt die Autorin das Heldenpaar sterben? Hat sie ihre der Tragödie angelehnte Erzählung den Zwängen jener Gattung unterworfen? Hat sie sich einem Zeitgeschmack angepaßt, der grausame Schicksale und tränenselige Szenen verlangt? Oder ist der Tod auf dem weltentrückten Montblancgletscher ein verhüllendes Bild für die Einsicht, daß der Konflikt in der Welt nicht lösbar ist? Jedenfalls werden Zweifel daran angedeutet, ob Leidenschaft sublimierbar ist und die Liebenden auf Dauer ihre innere Freiheit behaupten können – außer im Tode. Goethe hat in seiner Besprechung der *Gabriele* die Eigenart dieses „tragischen Romans" so bestimmt: Dargestellt sei „das grenzenlose Streben was uns aus der menschlichen Gesellschaft, was uns aus der Welt treibt, unbedingte Leidenschaft; für die dann, bei unübersteiglichen Hindernissen, nur Befriedigung im Verzweifeln bleibt, Ruhe nur im Tod"[88]. Verzweiflung ist die Form der Katastrophe, in die Gaetana gerät; denn auch sie ist ein „Opfer" der „unseligen Leidenschaft" (S. 91) – Viktor überwindet jenes „Streben" auf die andere Weise.

Trotzdem bleibt zu fragen, ob der Zwang zur Entsagung, mehr noch der Tod Maries auch eine bittere, verzweifelte Anklage darstellt: gegen die patriarchalen Verhältnisse, die der Heldin die Opferrolle zumuten, ja sie aus der Welt hinausdrängen. Huberts bittere Klage deutet darauf hin. Aber es ist doch wohl weniger Resignation als Wirklichkeitsnähe, wenn die Autorin das unbeschränkte Glück engel- und göttergleicher Menschen für mit den Zwängen dieser Welt unvereinbar erklärt. „Riesenhaft groß und mächtig", so philosophierte sie, sei „der herzergreifende Schmerz mit dem wir die Unmöglichkeit fortdauernder Seeligkeit der Liebe auf Erden erkennen"; nötig sei, „sich mit der Wirklichkeit entsagend abzufinden", das Glück der Erinnerung aber im „Traume" zu bewahren[89].

Dem Traum und der Rührung dient das eine Figurenpaar, der Erbauung und Belehrung das andere. Stanislaus und besonders Cölestine, der alles „Mährchenhafte und Uebertriebene" (S. 89) wesensfremd ist, sind wirklichkeitsnäher dargestellt. Gleichwohl macht der Erzählerkommentar beide zu Leitbildern: den durch Verzicht, Leid und Schuldbekenntnis (S. 101 f.) geläuterten „Strahlenfels", vor allem aber Cölestine, deren lateinischer Name ‚die Himmlische, Unvergleichliche' bedeutet[90]. „Körperlich[e]" und „geistig[e]" Vorzüge (S. 99) sind bei ihr in „Harmonie" (S. 32) verbunden. Wie Marie agiert auch sie kaum, sondern reagiert: Ihr Schicksal wird bestimmt durch das des Bruders und des Gatten. Aber „Ergebung" (S. 100) und Liebesglück sind in ihrem Leben keine Gegensätze. „Freiwillige Abhängigkeit" sei „das größte Glück" einer liebenden Frau, sagt wie kommentierend der Erzähler in Johanna Schopenhauers Novelle *Sommerliebe* (1825); sie wolle „gewährend verzichten, und jemehr sie den ehren muß, für den ihr liebeerfülltes Gemüth alles hingeben möchte, je inniger fühlt sie ihr Glück"[91].

Unter Cölestines Anleitung ist die zuvor von dem Hagestolz Hubert geprägte Lili mit einer „weibliche[n] Arbeit" beschäftigt (S. 102). Das illustriert das Hauptfeld der damaligen Mädchenbildung[92] und kennzeichnet eine Erziehung, die das weltfremde, kindliche Wesen in eine weibliche Rolle und damit in die Gesellschaft „einführen" soll (S. 94), in der sich Cölestine „sicher" bewegt (S. 6). Für die Zukunft des Mädchens deutet die Novelle damit eine optimistische Lösung an: Während die überirdische Mignon stirbt, wird Lili der

„Welt" übergeben (S. 94), in der sich ihre Erzieherin bewährt hat.

Lilis Mutter Gaetana hat in Wesen und Schicksal mit der Mutter Mignons, Sperata, Gemeinsamkeiten. Die „religiöse Schwärmerei" ihrer Liebe (S. 38) deutet auf jene Art der Caritas hin, die sie schließlich üben wird: alleräußerste Selbstverleugnung, indem sie sich stellvertretend kasteit und geißelt[93]. Mit dem aufgeklärten Hubert (S. 94) und dem Erzähler lehnte Johanna Schopenhauer solche übersteigerten Formen empfindsamer Religiosität ab, kritisierte sie Bigotterie und „düstern Fanatismus" (S. 100). Während Gaetana, der Ottilie in den *Wahlverwandtschaften* und der Sperata verwandt, zwischen den Extremen einer verehrten „Heilige[n]" und einer gemiedenen „Wahnwitzige[n]" steht (S. 92), bleibt Cölestine vor „religiöser Schwärmerei" (S. 90) bewahrt. Ihr „heller" Verstand (S. 89, 97 u. ö.) kontrastiert mit Gaetanas „dunklem" (S. 91) Dasein und der Düsternis um Stanislaus. Gaetana geht aus dem „Leben" (S. 84), Cölestine tritt ins „wirkliche Leben" ein (S. 90) – in Umkehrung des Geschicks der polnischen Gräfin in E. T. A. Hoffmanns ‚Nachtstück' *Das Gelübde*, die unter dem Ordensnamen Cölestine ins Kloster geht. Indem Stanislaus' Gattin tätige Sühnung übt, mit ihrem Lebensmut dem tragischen Geschehen begegnet, wird sie zur Vorbildfigur, so wie sie auch während Huberts tragischer Erzählung ihre Fassung in beispielgebender Weise (S. 56) zurückgewinnt.

Die Gestalt der „heitern" (S. 6), weltzugewandten Cölestine zeigt, daß Johanna Schopenhauers Entsagungsbegriff nicht auf Abwendung vom Leben beruht – im Gegensatz zur Philosophie ihres verstiegenen Sohnes. Wie Kritik an dessen „Lamentiren über die dumme Welt und das menschliche Elend"[94], einem Verhalten, das Mutter und Sohn im Leben entzweit hat, mutet es an, wenn Cölestine oder ähnlich der

Erzähler von der „schönen heitern Welt" spricht (S. 95, 100), die den Menschen liebend zu umarmen scheint (S. 18), und wenn die Erkenntnis betont wird, daß „der Mensch [...] der begünstigte Sohn der Natur und kein armer durch tausend Bedürfnisse gequälter Erdenwurm sey" (S. 15). Eine Reminiszenz an die Reise nach Chamonix 1804, bei der Arthur Schopenhauer sechzehn Jahre alt war, bedeutet es, wenn Hubert, der sich vom Leben abgekehrt hat (S. 15, 94), seinen Gemütszustand im Alpenland rückblickend so beschreibt: „ich freute mich des Lebens auf unsrer schönen Erde, als wäre ich wieder ein sechzehnjähriger Knabe geworden" (S. 73). Arthur wollte in genau diesem seinem „17ten Jahre [...] vom *Jammer des Lebens* [...] ergriffen" worden sein[95].

Durch die Rehabilitierung der von ihm Beschuldigten gewinnt der grübelnde Stanislaus[96] – anders als Arthur – den „Glauben" an die Menschen zurück (S. 102). Noch 1832 erhoffte Johanna Schopenhauer eine solche Wendung auch für ihren Sohn, dessen Mißmut und Misanthropie der Schmerz ihres Lebens war: „Gott helfe Dir, und sende Dir Licht und Muth und Vertrauen in Dein umdüstertes Gemüth"[97]. Gegen Hoffnungslosigkeit und Pessimismus wendet sich vor allem das versöhnliche Schlußtableau der Novelle, ein Biedermeier-Genrebild friedlichen Familienglückes. Die häusliche Idylle Amadées, die in ihr grausiges Gegenteil verkehrt war, ist bei seinem Sohn wiederhergestellt. Das Bedürfnis des Biedermeiers nach Ordnung und Harmonie[98], die den „Frieden des Gemüthes" (S. 50) spiegeln, hat sich durchgesetzt.

Jens Stüben

Anmerkungen zum Nachwort

1 An Carl August Böttiger, 6. 3. 1826. In: Damals in Weimar!
  Erinnerungen und Briefe von und an Johanna Schopenhauer.
  Hg. von H[einrich] H[ubert] Houben. Leipzig 1924, S. 272.
2 Johanna Schopenhauer: Sämmtliche Schriften. 24 Bde.
  Frankfurt/M., Leipzig 1830–31.
3 Unter den wenigen Studien zu Leben und Werk s. besonders
  Elke Frederiksen und Birgit Ebert: Johanna Schopenhauer.
  In: Mütter berühmter Männer. Zwölf biographische Por-
  traits. Hg. von Luise F. Pusch. Frankfurt/M., Leipzig 1994
  (Insel-Taschenbuch. 1356), S. 125–158; Friederike Fetting:
  „Ich fand in mir eine Welt". Eine sozial- und literaturge-
  schichtliche Untersuchung zur deutschen Romanschriftstel-
  lerin um 1800: Charlotte von Kalb, Caroline von Wolzogen,
  Sophie Mereau-Brentano, Johanna Schopenhauer. München
  1992. Die einzige Arbeit, die – jedoch nur nebenbei – auf den
  Schnee eingeht, ist Esther Harmon: Johanna Schopenhauer.
  München 1914 (Diss. Bryn Mawr, USA). Weitere For-
  schungsliteratur nennt Eda Sagarra in: Literaturlexikon. Au-
  toren und Werke deutscher Sprache. Hg. von Walther Killy.
  Bd. 10. Gütersloh, München 1991, S. 372 f. Einfühlsame
  Beiträge zu einer Lebensbeschreibung bietet die Danzigerin
  Gertrud (Meili-)Dworetzki: Johanna Schopenhauer. Biographische Skizzen. Düsseldorf 1987.
4 Schopenhauer, Schriften, vgl. Anm. 2, Bd. 7, S. 5 f.
5 An den Sohn, 28. 11. 1806. Die Schopenhauers. Der Familien-Briefwechsel von Adele, Arthur, Heinrich Floris und
  Johanna Schopenhauer. Hg. und eingel. von Ludger Lütkehaus. Zürich 1991, S. 123. Zu Johanna Schopenhauers Teezirkel s. Ilse-Marie Barth: Literarisches Weimar. Kultur/Litera-
  tur/Sozialstruktur im 16.–20. Jahrhundert. Stuttgart 1971
  (Sammlung Metzler. 93), S. 52–57.

6 Johanna Schopenhauer's Nachlaß. Hg. von ihrer Tochter. 2 Bde. Braunschweig 1839. Dazu s. Izabella Golec: Danzig zwischen der ersten und zweiten Teilung Polens in den Memoiren von Johanna Schopenhauer und in den Bildern Daniel Chodowieckis. In: Literatur im Kulturgrenzraum. Zu einigen Aspekten ihrer Erforschung am Beispiel des deutsch-polnischen Dualismus. Hg. von Tadeusz Namowicz und Jan Miziński. Lublin 1992, S. 81–94.

7 1797 zählten zum kurländischen Adel und Kleinadel 3586 Personen, davon mindestens 1219 Polen und Litauer; von den damals 10262 Einwohnern der Hauptstadt Mitau waren 300 Adlige. Nach Arthur Hoheisel: Die Bevölkerung Kurlands im Jahre 1797. In: Zeitschrift für Ostforschung 31, 1982, S. 551–559.

8 Bevorzugte Universitäten waren Königsberg, Jena, Halle, Leipzig. Nach Gert von Pistohlkors: Die Ostseeprovinzen unter russischer Herrschaft (1710/95–1914). In: Baltische Länder. Hg. von Gert von Pistohlkors. Berlin 1994 (Deutsche Geschichte im Osten Europas), S. 265–450, 557–564, hier S. 342.

9 Hierzu und zum Folgenden s. Jens Stüben: Das Bild des „edlen Polen" in Erzählungen der Danziger Autorin Johanna Schopenhauer. In: Studia Germanica Gedanensia 2, Gdańsk 1994, S. 101–129; Jens Stüben: Aspekte des Polenbildes in der deutschen Literatur. In: Deutsche und Polen. Beiträge zu einer schwierigen Nachbarschaft. Bearb. von Christof Dahm und Hans-Jakob Tebarth. Bonn 1994, S. 73–99.

10 Dazu Erich Donnert: Kurland im Ideenbereich der Französischen Revolution. Politische Bewegungen und gesellschaftliche Erneuerungsversuche 1789–1795. Frankfurt/M. u. a. 1992 (Schriftenreihe der Internationalen Forschungsstelle „Demokratische Bewegungen in Mitteleuropa 1770–1850". 5), S. 189 ff.

11 Vgl. Friedrich Noack: Das Deutschtum in Rom. Seit dem Ausgang des Mittelalters. Bd. 1. Berlin, Leipzig 1927, S. 351, 372 f.

12 Nach Karl-Otto Schlau: Mitau im 19. Jahrhundert. Leben und Wirken des Bürgermeisters Franz von Zuccalmaglio

(1800–1873). Wedemark-Elze 1995 (Beiträge zur baltischen Geschichte. 15), S. 132f.

13 Zum Folgenden s. Petra Raymond: Von der Landschaft im Kopf zur Landschaft aus Sprache. Die Romantisierung der Alpen in den Reiseschilderungen und die Literarisierung des Gebirges in der Erzählprosa der Goethezeit. Tübingen 1993 (Studien zur deutschen Literatur. 123); Erwin Czernicky: Die Alpenlandschaft in der deutschen Literatur des 19. Jahrhunderts. Erlebnis und Gestaltung. Diss. Wien 1953.

14 Horatius Benedictus von Saussure: Reisen durch die Alpen, nebst einem Versuche über die Naturgeschichte der Gegenden von Genf. Aus dem Französischen übersetzt [...]. Theil 2. Leipzig 1781, Kapitel „Reise durch die Gegenden des Montblanc"; J[ohann] G[ottfried] Ebel: Anleitung, auf die nützlichste und genußvollste Art die Schweitz zu bereisen. Theil 2. 3. Aufl. Zürich 1809 [1. Aufl. 1793], Stichwort „Chamouny". Ebel wird in Johanna Schopenhauers Roman *Sidonia* erwähnt (Schriften, vgl. Anm. 2, Bd. 11, S. 211, 214).

15 In der Zeitschrift *Die Horen* (unter dem Titel *Briefe auf einer Reise nach dem Gotthardt*) 1796, dann 1808 und 1817 in Goethes *Werken* veröffentlicht. Johann Wolfgang Goethe: Sämtliche Werke, Briefe, Tagebücher und Gespräche. Hg. von Friedmar Apel u.a. 1. Abt., Bd. 16. Hg. von Klaus-Detlef Müller. Frankfurt/M. 1994 (Bibliothek deutscher Klassiker. 107), Zitate S. 51, 48.

16 [Sophie von La Roche:] Tagebuch einer Reise durch die Schweitz. Altenburg 1787; Friederike Brun: Prosaische Schriften. Bdch. 1. Zürich 1799, Kapitel „Reise von Genf nach Chamouni [1791]"; Friedrich von Matthisson: Erinnerungen. Bd. 2. Zürich 1810, Kapitel „Reise von Lausanne nach Aosta. 1801"; Elisa von der Recke: Tagebuch einer Reise durch einen Theil Deutschlands und durch Italien, in den Jahren 1804 bis 1806. Hg. von C[arl] A[ugust] Böttiger. Bd. 4. Berlin 1817, Kapitel „Über das Chamounithal".

17 2 Bde. Leipzig 1824 [erweiterte Fassung des letzten Bandes von Johanna Schopenhauer: Erinnerungen von einer Reise in den Jahren 1803, 1804 und 1805. 3 Bde. Rudolstadt 1813–17].

Jetzt wieder zugänglich: Johanna Schopenhauer: Promenaden unter südlicher Sonne. Die Reise durch Frankreich 1804. Hg. von Gabriele Habinger. Wien 1993 (Edition Frauenfahrten). Folgende Zitate: Schopenhauer, Schriften, vgl. Anm. 2, Bd. 18, S. 238, 243, 250f. (Schlußkapitel „Reise nach Chamouny": S. 244–298).

18 Arthur Schopenhauer: Die Reisetagebücher. Hg. von Ludger Lütkehaus. Zürich 1988 [zuerst hg. von Charlotte von Gwinner, 1923], S. 157f. Eine Beschreibung des Montblanc findet man noch im Hauptwerk des Philosophen, *Die Welt als Wille und Vorstellung* (2. Bd., Kapitel „Vom Genie").

19 Schopenhauer, Schriften, vgl. Anm. 2, Bd. 18, S. 250.

20 Johanna und Arthur Schopenhauer sahen den „Staubbach" laut Arthurs Tagebuch am 29. Mai 1804. Huberts Kritik (S. 25) kann sich auf eine lavierte Sepiazeichnung des in Dresden tätigen Landschaftsmalers Adrian Zingg beziehen. – Auch der Kurort Interlaken (S. 54, 56) im Berner Oberland wurde, am 28. Mai 1804, von den Schopenhauers besucht. Molkenkuren (S. 54), in Kurorten durchgeführt, waren Anfang des 19. Jahrhunderts beliebt; die Molke wurde wegen des darin gelösten Milchzuckers als ein verdünnendes Getränk verordnet.

21 Dieser mit einem Pferd und einem Maultier bespannte offene Bankwagen, auf dem man seitwärts saß, wird auch im Reisebericht beschrieben (Schopenhauer, Schriften, vgl. Anm. 2, Bd. 18, S. 252f.).

22 Schopenhauer, Reisetagebücher, vgl. Anm. 18, S. 162, folgende Zitate S. 165, 170.

23 Schopenhauer, Schriften, vgl. Anm. 2, Bd. 18, S. 294f., folgende Zitate S. 273–275, 262f., 283–286.

24 Schopenhauer, Reisetagebücher, vgl. Anm. 18, S. 165.

25 Schopenhauer, Schriften, vgl. Anm. 2, Bd. 18, S. 289, 286.

26 Friedrich Leopold Graf zu Stolberg: Reise in Deutschland, der Schweiz, Italien und Sicilien in den Jahren 1791–92. In: Gesammelte Werke der Brüder Christian und Friedrich Leopold Grafen zu Stolberg. Bd. 6. Hamburg 1822, S. 261.

27 Friedrich Matthisson: Gedichte. 5., verm. Aufl. Zürich 1803, S. 90f.

28 Friderike Brun geb. Münter: Gedichte. Hg. durch Fridrich Matthisson. Neue verm. Aufl. Zürich 1798, S. 137.

29 Theodor Ziemssen an ?, 12. 8. 1800. Eschens Tod. In: Irene, Deutschlands Töchtern geweiht, von G[erhard] A[nton] von Halem. 2. Stück. Berlin 1801, S. 156–194, hier S. 160.

30 Schopenhauer, Schriften, vgl. Anm. 2, Bd. 18, S. 257.

31 An Georg von Reinbeck, 9. 10. 1821, Deutsches Literaturarchiv, Marbach a. N.

32 Eine festliche „Schlittenfahrt" (S. 62), wie man sie in Mitau veranstaltete, wird ausführlich beschrieben in: Elisa von der Recke. Aufzeichnungen und Briefe aus ihren Jugendtagen. Hg. von Paul Rachel. Leipzig 1900, S. 111f.

33 5. 2. (?) 1819, Briefwechsel, vgl. Anm. 5, S. 272.

34 Johanna Schopenhauer: Die Reise nach Italien. Novelle. Frankfurt/M. 1836 [zuerst im Berliner Taschenbuch auf 1833], S. 13.

35 Goethe, Werke, vgl. Anm. 15, 1. Abt., Bd. 15/1: Italienische Reise, Teil 1. Hg. von Christoph Michel und Hans-Georg Dewitz. Frankfurt/M. 1993 (Bibliothek deutscher Klassiker. 88), S. 158.

36 Recke, Tagebuch einer Reise, Bd. 4, vgl. Anm. 16, S. 69, 72, 78, 75.

37 Dazu v. a. Gunter E. Grimm, Ursula Breymayer, Walter Erhart: „Ein Gefühl von freierem Leben". Deutsche Dichter in Italien. Stuttgart 1990.

38 So findet man durch Fernow das bestätigt, was Hubert über die Modelle der Maler in Rom sagt (S. 37):

Es ist [...] hier auch nicht selten, daß arme Aeltern, denen das Glück eine schöne Tochter gab, [...] Künstlern das Studium des Nackten an ihrer Gestalt, für einen geringen Preis, erlauben. Die Sache [...] ist in diesem Sitze der bildenden Künste, seit Jahrhunderten so gewöhnlich geworden, daß der gute Ruf eines Mädchens, das ihn sonst durch ihre Aufführung zu bewahren weiß, dadurch gar nicht leidet. Die Mutter selbst begleitet dann gewöhnlich ihre Tochter in des Künstlers Werkstatt, und wacht über die Unschuld derselben [...]. Kein junges Mädchen darf

ohne Begleitung der Mutter, oder einer verheyratheten Verwandten aus dem Hause gehen [...].
[Carl Ludwig Fernow]: Sitten und Kulturgemälde von Rom. Hg. von [Carl August] Böttiger. Gotha 1802, S. 43–45.

39 Carl Ludwig Fernow: Römische Studien. 2. Theil. Zürich 1806, S. 49.

40 *Carl Ludwig Fernow's Leben*, Schopenhauer, Schriften, vgl. Anm. 2, Bd. 2, S. 139; folgende Zitate: Bd. 1, S. 201, Bd. 2, S. 139, Bd. 1, S. 35, 33.

41 An den Sohn, 14. 11. 1806, Briefwechsel, vgl. Anm. 5, S. 117.

42 Schopenhauer, Schriften, vgl. Anm. 2, Bd. 4, S. 27.

43 Matthisson, Gedichte, vgl. Anm. 27, S. 10 (*Der Genfersee*), S. 151 (*Der Einsiedler*).

44 Annette von Droste-Hülshoff: Historisch-kritische Ausgabe. Hg. von Winfried Woesler. Bd. 3/1. Bearb. von Lothar Jordan. Tübingen 1980, S. 41.

45 Vgl. Friedrich Sengle: Biedermeierzeit. Deutsche Literatur im Spannungsfeld zwischen Restauration und Revolution 1815–1848. 3 Bde. Stuttgart 1971/72–80, Bd. 1, S. 489, 495–498, 515 ff.

46 Zum Folgenden s. Sengle, vgl. Anm. 45, Bd. 1, S. 431–435, 441–443, 481–483; Marie Luise Gansberg: Der Prosa-Wortschatz des deutschen Realismus. Unter besonderer Berücksichtigung des vorausgehenden Sprachwandels 1835–1855. Bonn 1964 (Abhandlungen zur Kunst-, Musik- und Literaturwissenschaft. 27), S. 1 ff.

47 Schopenhauer, Schriften, vgl. Anm. 2, Bd. 11, S. 214 f.

48 Sengle, vgl. Anm. 45, Bd. 1, S. 525 f.

49 Sengle, vgl. Anm. 45, Bd. 2, S. 938.

50 Beispiele aus Aufklärung und Romantik: Justus Christian Hennings: Von den Ahndungen und Visionen (1777); Gustav Ernst Wilhelm Dedekind: Ueber Geisternähe und Geisterwirkung oder über die Wahrscheinlichkeit daß die Geister der Verstorbenen den Lebenden sowohl nahe seyn, als auch auf sie wirken können (1793); Justinus Kerner: Die Seherin von Prevorst. Eröffnungen über das innere Leben des Menschen und über das Hereinragen einer Geisterwelt in die

unsere (1829). Vgl. auch die Artikel „Geist", „Vorahnung",
„Vorbedeutung" u. a. in: Handwörterbuch des deutschen
Aberglaubens. Hg. von Hanns Bächtold-Stäubli. Berlin,
Leipzig 1927–42.

51 Elisa von der Recke. Tagebücher und Briefe aus ihren Wan-
    derjahren. Hg. von Paul Rachel. Leipzig 1902, S. 336 (Eintrag
    vom 12. 6. 1790 mit Zusatz vom 10. 1. 1826).
52 Vgl. Goethe-Wörterbuch. Bd. 1. Stuttgart u. a. 1978, Sp.
    296–300.
53 Schopenhauer, Schriften, vgl. Anm. 2, Bd. 8, S. 87.
54 Zacharias Werner: Der vierundzwanzigste Februar. Eine Tra-
    gödie in einem Akt. Hg. von Johannes Krogoll. Stuttgart 1967
    (Universal-Bibliothek. 107), S. 59.
55 Goethe, Werke, vgl. Anm. 15, 1. Abt., Bd. 9. Hg. von
    Wilhelm Voßkamp und Herbert Jaumann. Frankfurt/M.
    1992 (Bibliothek deutscher Klassiker. 82), S. 676.
56 Auf den „ideengeschichtlichen Grund der Schauerliteratur",
    den „in Klassik und Romantik erneuerten Fortunaglauben der
    Barocktradition", hat Sengle, vgl. Anm. 45, Bd. 2, S. 939,
    hingewiesen.
57 Schopenhauer, Schriften, vgl. Anm. 2, Bd. 8, S. 11f.
58 Schillers Werke. Nationalausgabe. Begr. von Julius Petersen.
    Fortgef. von Lieselotte Blumenthal und Benno von Wiese.
    Hg. von Norbert Oellers und Siegfried Seidel. Bd. 10. Hg.
    von Siegfried Seidel. Weimar 1980, S. 125. Möglicherweise
    wird auch auf theoretische Überlegungen Schillers angespielt,
    wie er sie im Aufsatz *Ueber den Grund des Vergnügens an
    tragischen Gegenständen* (1793, Wiederabdruck 1802) poin-
    tiert darstellte und sie als Motto über der tragischen Erzäh-
    lung stehen könnten:
      Die Tragödie [...] umfaßt alle mögliche Fälle, in denen
      irgend eine Naturzweckmäßigkeit einer moralischen, oder
      auch eine moralische Zweckmäßigkeit der andern, die hö-
      her ist, aufgeopfert wird. [...] Jede Aufopferung des Le-
      bens ist zweckwidrig, denn das Leben ist die Bedingung
      aller Güter; aber Aufopferung des Lebens in moralischer
      Absicht ist in hohem Grad zweckmäßig, denn das Leben ist
      [...] nur als Mittel zur Sittlichkeit wichtig.

Werke, s.o., Bd. 20. Hg. von Benno von Wiese. Weimar 1962, S. 140f.

59 Als „sich ereignete unerhörte Begebenheit" charakterisierte Goethe die Gattung der Novelle am 29. 1. 1827, zwischen dem Erscheinen des *Schnee* und der *Großtante*. Zitiert nach: Theorie und Kritik der deutschen Novelle von Wieland bis Musil. Hg. von Karl Konrad Polheim. Tübingen 1970 (Deutsche Texte. 13), S. 54.

60 Schopenhauer, Schriften, vgl. Anm. 2, Bd. 24, S. 230, 232, folgendes Zitat S. 243.

61 Schopenhauer, Schriften, vgl. Anm. 2, Bd. 7, S. 200.

62 Gabriele von Johanna Schopenhauer (1822). In: Johann Wolfgang Goethe: Sämtliche Werke nach Epochen seines Schaffens. Münchner Ausgabe. Hg. von Karl Richter. Bd. 13/1. München, Wien 1992, S. 466–469, hier S. 466.

63 An den Sohn, 14. 5. 1807, Briefwechsel, vgl. Anm. 5, S. 171; dazu Ludger Lütkehaus: Einleitung, S. 7–42, hier S. 18ff.

64 „Pantalone" (S. 30), wie ihn Hubert nennt, ist ein Typ aus der italienischen Stegreifkomödie (Commedia dell'arte): der lächerliche, mürrische Alte, der die venezianische Kaufmannstracht (rote Hose) trägt.

65 Schopenhauer, Schriften, vgl. Anm. 2, Bd. 7, S. 42.

66 Fetting, vgl. Anm. 3, S. 133.

67 Schopenhauer, Schriften, vgl. Anm. 2, Bd. 9, S. 201.

68 Schopenhauer, Schriften, vgl. Anm. 2, Bd. 8, S. 22f.

69 An den Sohn, 4. 6. 1806, Briefwechsel, vgl. Anm. 5, S. 72.

70 An den Sohn, 28. 4. 1807, Briefwechsel, vgl. Anm. 5, S. 168, 164.

71 An den Sohn, 30. 11. 1807, Briefwechsel, vgl. Anm. 5, S. 194.

72 Schiller, Grund des Vergnügens, vgl. Anm. 58, S. 144.

73 Ein erster knapper Hinweis dazu bei Harmon, vgl. Anm. 3, S. 79f. In *Gabriele* wird ein junger Mann ausdrücklich mit Mignon verglichen: „fast kindliche Grazie in jeder Bewegung, mit dunkeln Locken und schwarzen blitzenden Augen, wie Mignon" (Schopenhauer, Schriften, vgl. Anm. 2, Bd. 8, S. 186).

74 Goethe, Werke, 1. Abt., Bd. 9, vgl. Anm. 55, S. 497f.

75 Goethe, Werke, 1. Abt., Bd. 9, vgl. Anm. 55, S. 894f., 965.

76 Goethe, Werke, 1. Abt., Bd. 9, vgl. Anm. 55, S. 503.

77 Vgl. die „heiligen Mauern" der „Ewige[n] Roma" (nach „Roma aeterna", Tibull) in der ersten *Römischen Elegie*; zum Folgenden s. bes. die fünfte und siebte *Elegie*. Goethe, Werke, vgl. Anm. 15, 1. Abt., Bd. 1. Hg. von Karl Eibl. Frankfurt/M. 1987 (Bibliothek deutscher Klassiker. 18), S. 393, 409.

78 Goethe, Werke, 1. Abt., Bd. 9, vgl. Anm. 55, S. 504.

79 Schopenhauer, Schriften, vgl. Anm. 2, Bd. 18, S. 257.

80 Otto v. Deppen in: Der Gesellschafter. Berlin 1825. Bl. 171. Beilage: Zeitung der Ereignisse und Ansichten, S. 853 f.

81 Sengle, vgl. Anm. 45, Bd. 2, S. 873.

82 Schiller, Werke, Bd. 20, vgl. Anm. 58, folgende Zitate S. 288 f., 292–294, 300, 302 (Hervorhebungen im Original sind nicht wiedergegeben).

83 Schopenhauer, Schriften, vgl. Anm. 2, Bd. 8, S. 121.

84 Dazu Jürgen Jacobs: Die deutsche Erzählung im Zeitalter der Aufklärung. In: Handbuch der deutschen Erzählung. Hg. von Karl Konrad Polheim. Düsseldorf 1981, S. 56–71, 564–566; Sengle, vgl. Anm. 45, Bd. 2, S. 902–904.

85 Schopenhauer, Schriften, vgl. Anm. 2, Bd. 8, S. 83, Bd. 9, S. 174.

86 Dazu Sengle, vgl. Anm. 45, Bd. 2, S. 873–901.

87 Schopenhauer, Nachlaß, vgl. Anm. 6, Bd. 1, S. 229.

88 Goethe, Gabriele, vgl. Anm. 62, S. 467.

89 *Über die Sehnsucht*. Nach der Handschrift veröffentlicht von Werner Milch: Johanna Schopenhauer. Ihre Stellung in der Geistesgeschichte. In: Jahrbuch der Schopenhauer-Gesellschaft 22 (1935), S. 201–238, hier S. 231 f.

90 Zur Bedeutung des Namens Cöleste (wie auch allgemein zur poetischen Namengebung) vgl. Karl Konrad Polheim: Konfiguration und Symbolik in A. Stifters Erzählung *Das alte Siegel*. In: Geschichtlichkeit und Gegenwart. Festschrift für Hans Dietrich Irmscher zum 65. Geburtstag. Hg. von Hans Esselborn und Werner Keller. Köln, Weimar, Wien 1994 (Kölner germanistische Studien. 34), S. 297–313, hier bes. S. 306.

91 Schopenhauer, Schriften, vgl. Anm. 2, Bd. 6, S. 193.

92 Den Bereich ‚weiblicher' Tätigkeit, so erklärte Johanna Schopenhauer (mit Blick auf ihre Konkurrentinnen), sollten nur durch „ausgezeichnetes Talent begünstigte Frauen" verlassen: „Viele welche weit besser thäten in dem ihnen von der Natur sowohl als durch Sitte und Erziehung angewiesenen Kreise zu bleiben, führen jetzt die Feder statt der Nadel" (an ?, 2. 12. 1821, Houben, vgl. Anm. 1, S. 241).

93 Die „büßenden Schwestern" (S. 93) der hl. Magdalena sind ein Frauenorden mit einem Kloster in Rom.

94 An den Sohn, 13. 12. 1807, Briefwechsel, vgl. Anm. 5, S. 200.

95 Notiz von 1832. Zitiert nach Ludger Lütkehaus: Die Ausfahrt des Buddha? Die Reisetagebücher Schopenhauers. In: Schopenhauer, Reisetagebücher, vgl. Anm. 18, S. 263–280, hier S. 263.

96 Stanislaus' Worten „Mißtrauen ist eine Schlange [...]" (S. 102) liegt die Redensart ‚eine Schlange am Busen nähren' zugrunde, die auf der Vorstellung beruht, daß die Schlange Gift in die Bißwunde spritzt und das Blut ihres Opfers aussaugt. Eines erläuternden Hinweises wert ist auch die Bemerkung des Erzählers, Stanislaus habe Marie verdächtigt, „ein solches Verständniß [...] fortzusetzen" (S. 101): „Verständniß" (vgl. „Einverständniß", S. 100) bedeutet hier ‚Liebesbeziehung'. Zu den Wörtern, deren Bedeutung sich (ganz oder partiell) verändert hat, gehören außerdem u. a.: „Ansehen" (S. 5 u. ö.) = Aussehen; „Ausschuß" (S. 7) = besserer Teil; „peinlich" (S. 31, 71) = schmerzhaft, quälend; „Zufall" (S. 32) = Anfall; „arm" (S. 41, 58 f.) = armselig, schwach, gering; „Vorstellungen" (S. 49) = Darlegung, durch die Erkenntnis bewirkt und auf Gesinnung und Willen eingewirkt werden soll; „Vorsorge" (S. 49) = Fürsorge; „Auskunft" (S. 66) = Ausweg, Lösung. Die Wörter „herablassend" (S. 27), „dreist" (S. 80), „Umständlichkeit" (S. 84), „kunstlos" (S. 101) haben keine abwertende (Neben-)Bedeutung.

97 An den Sohn, 20. 3. 1832, Briefwechsel, vgl. Anm. 5, S. 340.

98 Dazu Sengle, vgl. Anm. 45, Bd. 1, S. 81 f.

Inhalt

Deutsche Bibliothek des Ostens
bei Langen Müller

Soeben erschienen:

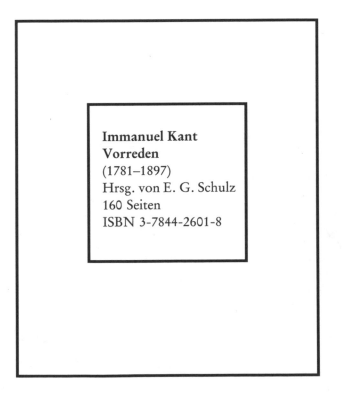

Immanuel Kant
Vorreden
(1781–1897)
Hrsg. von E. G. Schulz
160 Seiten
ISBN 3-7844-2601-8